高校世界史でわかる

科学史の核心

小山慶太 Koyama Keita

NHK出版新書
611

まえがき――科学史への誘《いざな》い

科学史という学問は、実にユニークな特徴をもっている。断るまでもなく、〝史〟とつくからには、歴史学の領域に属する人文系の一分野といえるが、研究対象としているのは自然科学、つまり理系のテーマである。

物理学者から小説家に転じたイギリスのC・P・スノーがかつて、講演「二つの文化と科学革命」（一九五七年）の中で、文科と理科の世界の隔絶を指摘し、大きな反響を呼んだことがある。そして、それ以降も学問の専門化、細分化は著しく、スノーが指摘した問題はいっそう深刻さを増している。

そうした現状を鑑みたとき、ひとつの事例ではあるものの、歴史学と自然科学を融合した科学史の研究は、文科と理科にまたがる貴重な懸け橋となっている。いま、「ユニークな特徴をもっている」と書いたのはそういう意味であり、また、そこから――一粒で二度美味しいとでも表現できる――二つの大きな領域の融合ならではの、いわば〝ハイブリッド〟（hybrid）な面白さを知ることができる。

そこで、そういう面白さを伝えるため、本書では、世界史の流れの中に科学上の発見や科学者の人間模様を組み込むという構想を立ててみた。たとえてみれば、世界史（主として近代科学を生んだヨーロッパの近現代史）の変遷を「知の時間軸」に、各時代の科学者が挑んだ自然の探究を「知の空間軸」に設定し、二つの軸が形成する「時空」を舞台に、科学史を描いてみようという試みである。

なお、取り上げる時代、出来事は、高校の世界史の授業で学ぶようなよく知られたテーマを選んである。一般史として重要な時代、出来事の中で、科学者がどのように生き、科学がどのように発展したかを知ることは、視点を変えた歴史再発見につながるのではないかと思うからである。

このような意図にもとづき、第1章では一七世紀中葉から一八世紀前半にかけてのイギリスを中心に、ヨーロッパ社会の動向に注目してみた。

イギリスではピューリタン革命、国王の処刑、王政復古、名誉革命と世の中が目まぐるしく動く中、ロンドンで科学愛好家のサークルである王立協会が創設され、ここから定期学術刊行物が発行されるようになる。ニュートンやフックたちが活躍するのはまさにこの頃である。また、学会という組織、学術刊行物という情報伝達手段の誕生、そして実験や数理的解析という研究方法が普及することにより、近代科学の枠組みが形をなしていく、躍動感あふれる時代であった。それはイギリスの歴史家バターフィールドが『近代科学の誕生』において看破したように、ルネサンスや宗教改革以上に時代を画する出来事として世界史の中に位置づけられるのである。

次に第2章では、一八世紀末に勃発したフランス革命を科学史の側面から眺めてみた。当時、フランスは王政が廃止され、ルイ一六世、マリー・アントワネットをはじめとする多くの人々が断頭台に送られるという、混迷を極める最中にあった（その中には「質量保存則」の発見者として高校の化学の教科書にも紹介されているラヴォアジエもいた）。また、一国でヨーロッパ諸国を敵にまわす、まさに内憂外患の時代を迎えていた。にもかかわらず、このように平穏さとはおよそ無縁な社会の中で、フランスの科学はみごとに花開いたのである。

いま名前をあげたラヴォアジエが錬金術の幻想を払い落として、化学を近代科学へと昇華させる『化学原論』を発表したのは、まさにフランス革命が起きた一七八九年であった。また、ラグランジュが『解析力学』を通してニュートン力学を洗練された数理体系にまとめ上げるのが革命前年、ラプラスが大著『天体力学』の刊行を開始するのは、革命最中の一七九〇年代のことである。さらに、今日、微分方程式の教科書に載っている解法や演算子の多くは、この時代のフランスの数学者たちによる業績である。

これだけではない。度量衡（長さと重さ）の単位（メートルとキログラム）の基準が科学的に制定されたのも、また世界史上初めて、理工系の学問を体系的に教える機関となった「エコール・ポリテクニク」がパリで開校されたのも、革命下でのことであった。このような性格の学校が創設されたことは教育の歴史の観点から見て、革新的な出来事であった。実際、エコール・ポリテクニクはカルノー、フレネル、コーシー、ポアソンなど、一九世紀に活躍する多くの科学者を輩出している。

というわけで、フランス革命は同時に〝科学革命〟も進行させるという、歴史上まれで魅力的な時代であった。文化は必ずしも平穏な世の中で開花するわけではないことを、第2章では論じてみたい。

さて、革命という用語がかぶせられるヨーロッパでの大きな出来事といえば、一八世紀中葉にイギリスで始まる産業革命が思い浮かぶ。このインパクトは各国に波及していくが、やや意外なことに、産業革命に関し、ドイツは後発国であった。そのドイツは一八七一年、普仏戦争に勝利、石炭や鉄鉱資源の豊富なアルザス・ロレーヌ地方を編入する。そして産業革命の遅れを取り戻すべく、鉄鋼業に力を入れることになる。

製鉄の工程では、さまざまな高温作業が行われるので、高い温度を精度よく測定する技術が必要となる。そこで、注目されたのが熱放射という現象である。こうした製鉄現場の実用的な要請から生まれたのが、一九〇〇年にドイツの物理学者プランクが提唱した「量子仮説」である。ところが、いささか予想外なことに、産業上の必要から進められた泥臭い研究が、二〇世紀に入ると原子や電子、原子核といったミクロな対象を記述する新しい体系「量子力学」へと発展していくのである。

一般論でいえば、基礎科学をもとにやがて応用技術が開発されるというのが、歴史の中でよく目にする流れであるが、量子力学の誕生はその逆であった。しかも、それは鉄鋼製産とはまったく関係のない、現代物理学の基盤となる純粋理論として確立されていくのであるから面白い。第3章では、この経緯をたどってみることにする。

ここで時代は二〇世紀に移っていくが、第4章では二つの世界大戦と科学の発展、特に核物理学の研究に目を向けようと思う。この分野の実験が本格的に始まるのは一九一〇年代のことであり、その時期は一九一四年に勃発した第一次世界大戦と重なっている。しかし、当時はまだ、しばらくの間、原子核の研究は純粋な基礎科学の範疇《はんちゅう》に留まっており、その応用などはまったく想定されていなかった。偏《ひとえ》に物質の構成要素の追究という視点で研究が進められていたのである。

また、核エネルギーの源泉を記述する有名な式「$E = mc^2$」をアインシュタインが導いたのは一九〇五年のことであるが、アインシュタイン自身、この式に従って実際にエネルギーを実用化できるとは考えていなかった。つまり、第一次世界大戦中、核物理学は応用(特に軍事面)とは無縁のところで歩み始めていたわけである。

ところが、第一次世界大戦の終結から第二次世界大戦の開戦までの間に急速な進歩を遂げたがために、核物理学は真理の探究という基礎科学の枠内から踏み出し、国際政治の潮流に巻き込まれていくことになる。端的にいえば、原子爆弾の製造や原子炉の開発などの応用技術へ直結していくわけである。二〇世紀の初めに基礎科学の一分野として産声《うぶごえ》をあげた核物理学は二つの大戦を挟んで、世界史にかくも大きな影響を及ぼす怪物に変身してしまった。

その最大の要因は、核に潜むエネルギーを解放すると、そのパワーは従来の化学エネルギーの一〇〇万倍もの大きさに達することを人間が知ってしまったことにある。今日、科学技術の進歩が人間社会に光だけでなく影も落としていることがさまざまな分野で議論を呼んでいるが、第4章で扱うテーマはそうした歴史の問題を考える上で、ひとつのケース・スタディとなっている。

最後に第5章では、第二次世界大戦後の現代科学の特徴を、研究規模の巨大化、研究体制の国際化という流れに注目して論じてみた。ニュートンやアインシュタインに象徴される天才が一人で真理を追究するという個人プレーから、いまや国境を越えて多くの研究者が役割分担をしながら、協力して共通の目標に挑むという、チームプレーへの転換がなされているのである。そうした科学の変貌ぶりを、エネルギー開発、宇宙開発、素粒子実験、天文学などの分野を例にとり、論じてみようと思う。

以上のような構想のもと、近代科学の黎明《れいめい》を迎える一七世紀から現代に至るまでの科学の大きな流れを、世界史の歩みに組み込んで綴ってみた。そこから、本書が読者の皆さんにとって、冒頭で述べた文科と理科のハイブリッドな学問のユニークさと面白さを知るきっかけとなり、科学史への誘《いざな》いとなればと念じている。

高校世界史でわかる 科学史の核心　目次

第1章　イギリス王政復古と「学会」創設

——ニュートンはなぜ大科学者たり得たか

一六世紀から一七世紀にかけ、近代科学が確立されていく歴史の中で、その存在感をもっとも発揮した人物はと問われれば、ニュートンの名前をあげることに大方の異論はなかろう。力学の構築、微積分法の発見、光の本性に対する新解釈など数々の業績により、ニュートンは科学革命と呼ばれる自然観変革の立役者となった。

そこでまずは、科学史上最大のスーパースターたる、この知の巨人が活躍した時代から筆を起こすことにしよう。

東の〝算聖〟、西の〝算聖〟

ニュートンが生きた一六四二年から一七二七年は、日本では江戸時代の初期から中期にあたる。

この間、一六五一年には軍学者の由井正雪《ゆいしょうせつ》が浪人を糾合して倒幕を企てた慶安の変や、一七〇二年の赤穂浪士の討ち入りなど世間を騒がす事件が起きてはいたものの、内戦や外国との戦争もなく、徳川幕府の体制はおおむね安定していたといえる。また、そうした落ち着いた世相と鎖国という島国ならではの政策により、元禄文化と総称される独自の芸術や学問が花開いた。

学問の中には、西洋の数学とは形式を異にする和算と呼ばれる分野も誕生している。その基礎を築いたのが関孝和《せきたかかず》で、行列式の算法、自然数(正の整数)のn乗の和を求める方法、高次数字方程式の解法、円周率の計算など多くの業績を残している。なお、関の没年は一七〇八年とわかっているが、生年は一六四〇年前後とされ、正確な年は不明である。そこから、ニュートンとからめた次のような面白いエピソードが生まれたという。

関の生年、生地はよく分らない。その生年を一六四二年(寛永一九年)とし、生地を上州(群馬県)藤岡とする説があり、藤岡にはその意味の碑まで建っている。一六四二年はニュートンの生年であり、事実とすればなかなかおもしろいが、この「生年」は、幕末から明治初期に生きた和算家、川北朝鄰《ともちか》が、東西の算聖を同年の誕生にしようとして書いた嘘が、いつかまことになってしまったものらしい。

(『日本の数学　西洋の数学』村田全、中公新書)

生年をめぐるエピソードの真偽はともかくとしても、関の業績は世界的に見て十分、高く評価されるものであった。事実、関の行列式の算法はライプニッツ(ニュートンと微積分法の先取権《プライオリティ》を争ったドイツの数学者)の研究よりも早く、自然数のn乗の和に関しても、やはりニュートンと同時代に生きたスイスのヨハン・ベルヌーイのそれに先行していた。

また、高次数字方程式の解法に至っては、イギリスのホーナーが一八一九年、王立協会で発表するより一世紀以上も前に、関はこれを発見していたのであるから、たいしたものである。

元禄文化というと、とかく文学や俳諧、歌舞伎や浄瑠璃、あるいは建築、絵画、彫刻などの美術が注目されがちであるが、和算も忘れてはならないことがわかる。

このように、江戸時代の初期から中期にかけ、日本は幕府の体制を大きく揺るがすほどの国難に見舞われることもなく、多彩な文化を生み出したのである。江戸の町を焼野原と化し、一〇万人を超える死者を出した明暦の大火(一六五七年)や農作物に大きな被害を与えた富士山の大噴火(一七〇七年)、また二〇〇万人を超えるといわれる飢民を出した享保の大飢饉(一七三二年)などの災害に襲われることは確かにあったものの、大局的に俯瞰すれば、この頃の日本はまずまず平穏に時が流れていたと表現してもよかろう。

世界史の中で捉えてみれば、当時の日本は安定した政治情勢がつづいたという意味で、特異な環境にあったといえる。その有様は同時代のヨーロッパと比較してみるとよくわかる。

ピューリタン革命下に生まれたニュートン

ここでイギリスに目を転じてみると、前述したように、一六四二年にニュートンが生まれている。生地はイングランドのウールスソープ村（リンカーンシャー州）、産声をあげたのはクリスマスの夜であった。偶然ではあるが、近代科学の巨人がキリスト降誕祭の日に生まれたというところに、歴史のドラマ性を感じる。

なお、当時、大陸のカトリック圏では暦はすでに現在使われているグレゴリオ暦に移行していたが、新教国であったイギリスではまだ、旧来のユリウス暦が用いられていた。したがって、今日の暦に合わせれば、ニュートンの誕生日は一六四三年一月四日ということになる。ではあるが、歴史を記述するとき、その時代の人々の生活に注目しながら、彼らがいかに日々を過ごしていたかを眺めることが重要になる。したがって、機械的に暦法による日にちのずれを直しても、あまり意味がない。当時のイギリスの人々にとっては、ニュートンが生まれた日は一月四日などではなく、紛れもなく、クリスマスの当日であったのであるから。

さて、ニュートンが生まれる二年前の一六四〇年より、専制政治を推し進める国王チャールズ一世と議会との対立が激しさを増し、その二年後にはピューリタン革命が起きた。革命の呼び名は、一六世紀後半におけるイギリス国教会（カトリックから離脱した教会）の改革に精力的であったピューリタン（清教徒）という一派の流れを汲む人々の役割が大きかったことに由来している。そして、一六四二年の夏、王党派と議会派の抗争は臨界点に達し、内戦が勃発する。戦闘はニュートンの故郷から一〇キロほどしか離れていないグランサムでも起きていた。

内戦の果て、クロムウェルが率いる議会派が勝利を収め、一六四九年、チャールズ一世は公開処刑される。ここに王政は崩壊、イギリスは共和政が敷かれることになる。ところが、内戦は終結したものの、一六五二年から五四年にかけては交易品の海上輸送をめぐり、イギリスはオランダと戦火を交えるという事態（第一次英蘭戦争）に突入している。まさに内憂外患の様相を呈していた。

こうした慌ただしい情勢はさらにつづく。一六五三年に護国卿という終身の地位に就き、実権を握っていたクロムウェルであるが、彼がとる軍事独裁的な政治姿勢に対し国民の反発、不満は高まっていた。その結果、一六五八年にクロムウェルが病死すると、革命政権の維持は困難となり、一六六〇年、共和政とピューリタン革命は終わりを告げることになる。

そして、処刑されたチャールズ一世の子で、ヨーロッパ大陸で亡命生活を送っていたチャールズ二世がイギリスの国王に就き、王政復古がなされるのである。ちなみに、ニュートンがケンブリッジのトリニティ・カレッジに入学するのは、その翌年（一六六一年）になる。

ところで、チャールズ二世の帰国を出迎える艦隊の随員の一人に、サミュエル・ピープスという二七歳の若者がいた。後に海軍大臣をつとめ、ニュートンが力学の基礎を築いた大著『プリンキピア』（一六八七年）を著したとき、出版の認可を下した王立協会会長がこのピープスである（図1－1）。

また、ピープスは王政復古の年から一〇年間、当時の世相、風俗、宮廷社会の内幕、私生活などを詳細に記録した膨大な日記を残した人物としても知られている。しかも、日記を暗号で記述するという念の入れようであった。彼の死後、日記は母校のモードリン・カレッジ（ケンブリッジ大学）に保管されていたが、一九世紀に入り暗号の解読が行われ、日記の一部が公開さ

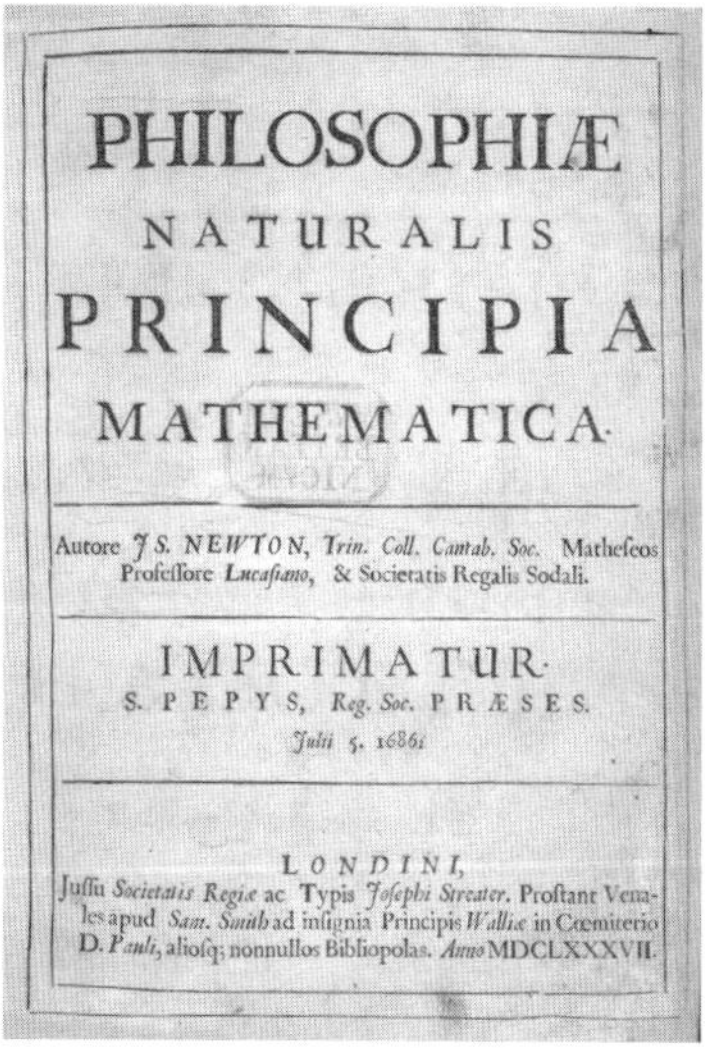

図1-1　ニュートン『プリンキピア』中段のやや下にピープス（S. Pepys）の名前が印刷されている（写真提供：TOP Photo ／ PPS通信社）

れた。さらに、一九七〇年代に入り、その全容が明らかにされるのである。

ピープスは一五歳のとき、チャールズ一世が首を斬られる現場を目撃している。そして一一年後、今度は王政復古にともない、チャールズ一世の処刑に荷担した議会派の人々が処刑されるのを目撃することになる。ピープスは日記にこう記している。


かくしてわたしは偶然にも、国王がホワイトホール宮で首を刎《は》ねられるのを見、国王の血に対する復讐の最初の血がチャリング・クロスで流されるのを目にすることになったのだ。

（『ピープス氏の秘められた日記』臼田昭、岩波新書）


また、ウェストミンスター寺院に埋葬されていたクロムウェル、彼の娘婿で前国王の死刑執行状に署名したアイアトン、死刑判決を宣告した裁判官ブラッドショーたちの墓が暴かれ、彼らの遺体は処刑場に運ばれて民衆の前に吊るされた。さらに、遺体は八つ裂きにされ、首が晒されたという（『オルデンバーグ』金子務、中公叢書）。

チャールズ二世は共和政時代の指導者たちに対する過度な報復を抑制する方針をとったとされているが、こうした血で血を洗う憎悪の連鎖を断ち切るのは容易ではなかったようである。

である。

国王チャールズ二世と王立協会の創設

王政復古がなされるとともに、科学史の上でも大きな動きが見られ始めた。学会の創設である。

一七世紀半ばのイギリスでは、自然科学(当時の概念でいえば自然哲学あるいは実験哲学)に関心をもつ愛好家たちのサークルが複数、生まれていた。そうした人々が一六六〇年一一月、ロンドンで会合を開き、自然に関する知識を深めるための組織を立ち上げることを決議した。そして、一六六二年、彼らの計画に対し、晴れてチャールズ二世の勅許状が正式に交付され、ここに王立協会《ロイヤル・ソサイエティ》が創設されるのである。

すでに見てきたように、国王と議会の対立からピューリタン革命が起こり、国王が処刑され共和制に移行、さらにクロムウェルの病死によって革命政権は瓦解、そして王政復古へとイギリスは目まぐるしく政治体制が動いていた。そうなると、チャールズ二世としても、これで世の中が、そして我が身が安泰と安心するわけにはとてもいかず、いつ寝首を掻《か》かれるかもしれないという不安の中にあった。ピープスが日記に「神よ、身の転変に処する心構えをなさしめ給え」(臼田昭、前掲書)と書いたのもうなずける情勢であった。

したがって、表向きは政治と無関係に見えても、人々が何かの集会をもち、団体として活動することに、国王サイドは神経を尖らせていた。そうした状況を考えると、自然科学の愛好家たちの集まりに、国王から勅許が下されたことは特筆すべき出来事といえる。チャールズ二世は彼らが王政復古を支持する人々であり、旗揚げの目的が純粋に実験を通した自然の解明であることを理解したのであろう。

こうして発足した王立協会の初代会長に就いたのは政治家のブラウンカーであるが、草創期のメンバーを見ると、気体の法則を発見したボイル、セントポール大聖堂を再建したレン、弾性体のひずみに関する法則や顕微鏡観察などで知られるフックらが名を連ねている。ニュートンはこのときまだケンブリッジの学生であったが、一六七二年に三〇歳で王立協会会員となり、一七〇三年から没する一七二七年まで会長をつとめ、イギリス科学界に君臨することになる。

なお、王立協会と銘打たれているものの、その運営は会員が納める会費によって賄われ、王室から資金が醵出《きょしゅつ》されていたわけではなかった。あくまでも国王からのお墨付きを得たという意味での〝王立〟であった。

さて、ここで、一六六七年にスプラットが著した『王立協会史』の口絵をご覧いただこう（図1－2）。中央の胸像はチャールズ二世、向かって左は初代会長のブラウンカー、そして右側（天使の前）にいる、なにやら派手な長衣《ローブ》を身につけている人物はフランシス・

ベーコン（一五六一―一六二六）である。

ベーコンは王立協会が設立される一世紀以上前の人物であるが、実験や観察を通して諸現象の中から多くの事実を収集、蓄積し、そこから帰納的に共通事項を抽出して、自然法則や一般原理をつかみ取るという方法論を提唱していた。またそのためには、多くの人が協力してこうした活動を実践できる共同体、つまり学会を組織することが必要であると説いていた。ベーコンのこうした構想が王立協会のバックボーンとなったことから、『王立協会史』にチャールズ二世、ブラウンカーと並んでベーコンが描かれたのである。

図1-2　スプラット『王立協会史』の口絵

そういえば、ベーコンが唱道した帰納主義的方法論を想起させる次のような記述が、ニュートンの『プリンキピア』の中にも見られる。

もし実験および天文観測により、地球の周りのすべての物体が地球に向かって引かれ、かつそれがそれぞれの質量に比例すること、また月も同じくその質量に従って地球の方へ引かれること、また一方においては、海が月の方へ引かれること、またすべての惑星が互いに引き合うこと、また彗星も太陽に向かって同様に引かれること、これらのことが普遍的に明らかになったならば、本規則の結果として、物体という物体がすべて相互引力の素因を付与されていることを普遍的に認めなければならない。

（『プリンシピア』中野猿人訳・注、講談社）

リンゴの落下、月や惑星、彗星の運動、潮の満干といった個別の現象から帰納的に、それらを引き起こす共通の相互引力の素因、つまり重力（万有引力）の法則を導き出したというわけである。ここにもベーコンの思想が受け継がれていたことがわかる。

ところで、話のついでに、図1－2に描かれているベーコンの派手な衣装についても触れておこう。彼がまとう長衣はイギリスの大法官の職衣であった。大法官とは現代の日本でいえば、最高裁長官に匹敵する国家の要職であり、併せてベーコンは国家の印章を管理する国璽尚書《こくじしょうしょ》の役職も兼務していた。近代科学の方法論の礎を築いた哲学者の正体は、貴族の身分を有する政府の高官だったのである。

ペストとニュートンの創造性の爆発

一六六五年、イギリスは貿易の利害の対立から再び、オランダと戦火を交えることになる（第二次英蘭戦争）。と同時に、この年、イギリスはペスト（黒死病）の大流行という災厄に襲われた。特に人口が多いロンドンでは感染が瞬く間に広がり、街は阿鼻叫喚の地獄と化した。その悲惨な光景を、ピープスは日記にこう書き残している。

グリニジまで歩いて行ったが、途中で死体を入れた棺を目にした。死因は疫病だ。クーム農場の囲い地の中に、露天のまま放置してあった。昨夜運び出したのだが、教区のほうではその埋葬役に誰も指定せず、ただ夜昼番人をつけて、誰も出入りせぬようにしているだけなのだ。ひどいことだ。今度の疫病でわれわれはおたがい同士、犬に対する以上に残酷になっている。

また、こういう記述もある。

ロンドン塔まで歩いた。だが、主よ、通りはなんとがらんどうで淋しく、かわいそうな病人たちが出歩いているが、皆腫物《はれもの》ができている。歩いている間にもいろいろ悲しい話を耳にした。皆、この人が死んだ、あの人は病気だ、ここでは何人、あそこでは何人、などということばかり取り沙汰している。ウェストミンスターには医師は一人もおらず、たった一人薬屋が残っているだけで、皆死んでしまったということだ。

（以上、臼田昭、前掲書）

しかし、たとえ医師や薬屋がいたところで治療のしようはなく、できる手立てといえば、人との接触を極力避け、感染を防止するくらいしかなかった。そこで、多くの市民がロンドンから逃げ出した。国王も例外ではなかった。

さらに翌一六六六年には、ロンドンは大火に見舞われ、一万三〇〇〇戸を超す家が焼失、市街は廃墟と化した。そのとき、ロンドンの再建案を提示し、前述したセントポール大聖堂をはじめとする多くの公共建物を再建したのが、王立協会のレンである。

さて、ペストが猖獗《しょうけつ》をきわめる一六六五年、ニュートンは大学を卒業し、引きつづき、ケンブリッジで学究生活を送るつもりでいたが、疫病の感染を防止するため大学は閉鎖されてしまった。やむなく、ニュートンはウールスソープ村の生家に帰ってきた（図1－3）。そして、ペストの流行がやや沈静化した一六六六年三月から六月まで、一時、ケンブリッジに戻ったものの、ニュートンは二年近くを一人、故郷で過ごすことになる。

ニュートン研究の第一人者であるイギリスの科学史家ウェストフォールが、ケンブリッジ大学図書館に収蔵されているニュートンの手稿の中から、晩年に若かりしこの時期のことを回想した一文を紹介しているので、ここに引用する。

　一六六五年の初めに私が見出したのは、級数を近似する方法と、どんな高次のいかなる二項式もそのような級数に還元するための規則でした。同じ年の五月、グレゴリウスとスリューズの接線決定法を見つけ、一一月には、流率という直接的な方法を手に入れました。翌年の一月に色彩理論を手に入れ、次の五月には、逆流率法への糸口を得ました。

（『アイザック・ニュートン』R・S・ウエストフォール著、田中一郎、大谷隆昶訳、平凡社）

図1-3　王立協会会員のステュークリが1721年にスケッチしたニュートンの生家（William Stukeley,“Memoirs of Sir Isaac Newton's Life”）

　大学を卒業したばかりの若者がわずか一年余りの間に誰の助けも借りず、二項定理、流率法（微分）と逆流率法（積分）、色彩理論（太陽光が屈折率の異なる各色の光線に分けられるとする理論）を見つけ出すか、あるいはその手掛かりを得たというのであるから、驚かされる。

驚くことは、まだつづく。ニュートンはさらにこう回想している。

私は重力が月の軌道にまで広がっていると考えるようになり、(中略)ケプラーの法則から、惑星を軌道に留めている力は、回転中心から惑星までの距離の二乗に逆比例していなければならないと推論しました。それによって月をその軌道に留めるのに必要な力と地球の表面における重力とを比較したのですが、それらがかなりよく一致しているとわかりました。これらはみな一六六五年から六六年のペストの二年間のことでした。当時、私は最高の創造期にいましたし、それ以後のどんな時期よりも数学と哲学に専念していたわけです。

(ウェストフォール、前掲書)

ケプラーが『新天文学』(一六〇九年)と『世界の調和』(一六一九年)の中で提示した惑星運動の規則性から重力の法則(距離の逆二乗則)を導き出したのも、ペストの時期であったというのである。

ここに列挙されたニュートンの有名な発見がすべて、この二年間に完成していたわけではなく、中には、そのとき得た着想を大切にして磨きをかけ、後に発表できる形までもっていったものもあろう。ではあろうが、短期間にこれだけの創造性を爆発させたことには——何度も同じことをいうが——驚かされる。

『哲学会報』という世紀の発明

ところで、ペストが流行する一六六五年、王立協会の初代事務局長をつとめたオルデンバーグが『フィロソフィカル・トランザクションズ』（*Philosophical Transactions*、以下『哲学会報』と表記する）という学術雑誌を創刊した。オルデンバーグはイギリス人ではなく、ブレーメン出身のドイツの元外交官であり、自身は科学の研究を行っていたわけではない。そうした人物が王立協会の主要ポストに就いた経緯について、簡単に触れておこう。

オルデンバーグは若いころ、ヨーロッパ各地を遍歴し、母国語（ドイツ語）以外にも英語、フランス語、イタリア語、ラテン語を習得、広い人脈を築いていた。そうした経歴から、オルデンバーグは当時、さまざまな外交問題を抱えていたブレーメンの代表として、護国卿の地位にあったクロムウェルとの折衝にあたるため、イギリスに赴任した。そして、任務を終えた後もそのままイギリスにとどまり、有力者たちとの交流を深めていった。

程なく王政復古を迎え、王立協会が創設されたことは、さきほど述べたとおりである。このとき、各国語に通暁し、国際的に広い人脈を有する教養人のオルデンバーグこそ、王立協会運営の要となる事務局長に適任であると判断されたのである。

この重責を担ったオルデンバーグは科学史上、画期的ともいえる〝発明〟をすることになる。それが『哲学会報』の創刊にほかならない。敢えて〝発明〟と表現した理由については後、触れるが、『哲学会報』は途中、短期間の中断はあったものの、現代までつづく自然科学の学術雑誌の中で最古のものになる。換言すれば、今日では分野ごとに世界中でものすごい数の学術雑誌が刊行されているが、そういう媒体が歴史に初めて登場したのは、オルデンバーグの発案によってだったのである。

では、それ以前、科学研究の情報交換、伝達はどのようにして行われていたのかというと、その主な手段は手紙である。活版印刷技術により、科学の知識は書物の形をとって普及していったが、書物の場合は――たとえば、ニュートンの『プリンキピア』のように――、大部に及ぶ研究成果を集大成したという性格が強く、公表までには一定の時間を要してしまう。

これに対し、あることを発見した、ある問題を解いたといった単独の成果をいち早く知らせたいという場合は、研究者間でやりとりされる手紙が有効になる（というか、他に適当な方法は思いつかない）。

そうした慣習が踏襲され、王立協会が創設されると今度は、オルデンバーグのもとにイギリス国内だけではなく、大陸からも、自然哲学、実験哲学の愛好者たちが自分の研究成果を競って手紙に認《したた》め、送ってくるようになった。そこで、初めのうち、オルデンバーグは手紙の中から興味深い内容のものを選び、王立協会の例会で会員たちに披露していた。

この企画が好評だったことから、彼はさらに一歩進んで、それらを印刷して会員に配付し、広く知らせてみてはどうかと考えるようになった。つまり、価値ある科学情報をまとめて定期的に刊行する、学術雑誌という新しい発表形態を発明したのである。それが『哲学会報』である。当初、『哲学会報』はオルデンバーグが個人的に編集していたが、やがて王立協会の正式な機関誌となった。

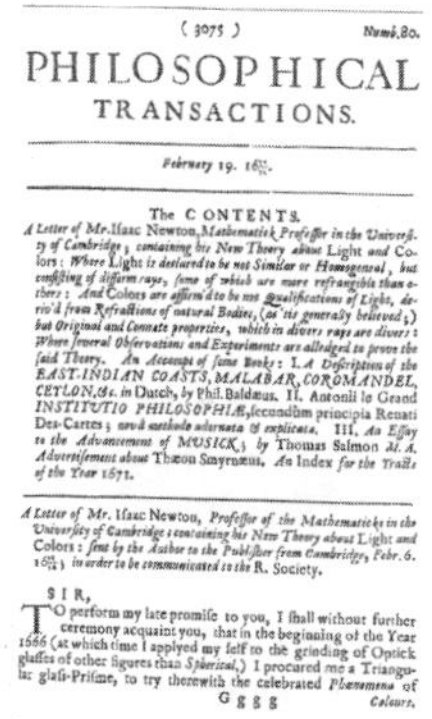
(3075) Numb. 80.

PHILOSOPHICAL TRANSACTIONS.

February 19. 1671/72.

The CONTENTS.

A Letter of Mr. Isaac Newton, Mathematick Professor in the University of Cambridge; containing his New Theory about Light and Colors: Where Light is declared to be not Similar or Homogeneal, but consisting of difform rays, some of which are more refrangible than others: And Colors are affirm'd to be not Qualifications of Light, deriv'd from Refractions of natural Bodies, (as 'tis generally believed;) but Original and Connate properties, which in divers rays are divers: Where several Observations and Experiments are alledged to prove the said Theory. An Accompt of some Books: I. A Description of the EAST-INDIAN COASTS, MALABAR, COROMANDEL, CEYLON, &c. in Dutch, by Phil. Baldæus. II. Antonii le Grand INSTITUTIO PHILOSOPHIÆ, secundùm principia Renati Des-Cartes; novâ methodo adornata & explicata. III. An Essay to the Advancement of MUSICK; by Thomas Salmon M. A. Advertisement about Thæon Smyrnæus. An Index for the Tracts of the Year 1671.

A Letter of Mr. Isaac Newton, Professor of the Mathematicks in the University of Cambridge; containing his New Theory about Light and Colors: sent by the Author to the Publisher from Cambridge, Febr. 6. 1671/72; in order to be communicated to the R. Society.

SIR,

TO perform my late promise to you, I shall without further ceremony acquaint you, that in the beginning of the Year 1666 (at which time I applyed my self to the grinding of Optick glasses of other figures than Spherical,) I procured me a Triangular glass-Prisme, to try therewith the celebrated Phænomena of

Gggg Colours.

図1-4　ニュートンの論文「光と色についての新理論」が掲載された『哲学会報』

さて、前述したように、ニュートンが王立協会会員となるのは一六七二年であるが(その三年前、トリニティ・カレッジの唯一の自然哲学講座であったルーカス講座の教授に就任している)、その年、『哲学会報』に最初の論文となる「光と色についての新理論」を発表している(図1−4)。それを見ると、「アイザック・ニュートン氏（ケンブリッジ大学教授）から発行者へ送られた手紙」と記載されていることがわかる。このように、科学論文のルーツは手紙だったのである。

ここで、ニュートンの論文の内容についても簡単に触れておこう。古代、中世を通し、太陽の白色光は混じり気のない純粋なもので、それが物質のもつ要素との組み合わせによって色が決まると考えられていた。これを「アリストテレスの光の変容説」という。

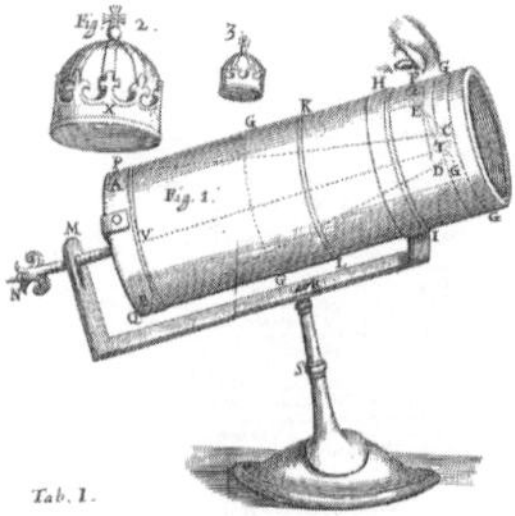

図1-5　ニュートンの反射望遠鏡
(“Isaac Newton's Papers & Letters on Natural Philosophy”, ed. By I. B.Cohen, Harvard University Press)

この説に疑問を抱いたニュートンは、ガラスのプリズムで太陽光をさまざまな色の光に分散し、分散した光を再びプリズムを通して収束させると、色は消え、元の白色光に戻ることを実験で示した。つまり、白色光は混じり気のないものではなく、反対に屈折率が異なる各色の光線が混じり合ったものであることを証明し、二〇〇〇年もの長きにわたって受け入れられていた考えを葬り去ったのである。

なお、ニュートンが王立協会会員に推薦された理由も、反射望遠鏡の製作という光学に関する業績で、チャールズ二世もそれを実見している（図1－5）。ニュートンというと力学ばかりが有名であるが、天才は光学にも革命を起こしていたのである。

学術雑誌の役割

前節で『哲学会報』の創刊をオルデンバーグによる〝発明〟と表現したが、それには情報の伝達と知識の普及手段の革新に加え、もうひとつ大きな理由がある。その理由とは、発見の先取権に関する認定ルールの確立である。

近代に入るまで、学問の世界では古典の権威が絶大であった。古代ギリシャで構築されていた内容を疑うことなく、そのまま継承することに重きを置かれていたのである。それは自然学においても然りであった。したがって、既存の知識を否定したり、新発見に情熱を燃やすというような創造的な姿勢はきわめて希薄であった。天動説や錬金術、あるいは光の変容説が連綿と受け継がれてきたのも、その証拠である。

あのコペルニクスですら、一五四三年に『天球の回転について』を著した際、フィロラオス、エクファントス、ヒケタスら古代の哲学者の名前をあげて、ギリシャ時代にすでに地球が動いていると主張した人々が何人もいたことを力説している。意外に思われるかもしれないが、コペルニクスはわざわざ先哲の権威を借りて、地動説は自分が初めて唱える新奇な考えではないと訴えたのである。要するに、コペルニクスはこの件に関する先取権を、声高に唱えることはなかった。

こうした状況に変化が起き始めるのは一七世紀に入ってからであり、それはとりもなおさず近代科学の勃興と表裏一体の出来事であった。

いうまでもなく、科学の本質は独創性を発揮して、未知の真理を発見することにある。そういう性格の知的営みが芽生えてくると、自ずと、学問の価値観も古典の単なる継承を抜け出て、新しい事実に重きを置く方向へと転換されていく。平たくいえば、科学の世界では、第一発見者となることに至上かつ唯一の栄誉、称賛が与えられるのである（ノーベル賞の選考においても、授賞対象の研究において、創始者《イニシエイター》が誰かということがもっとも重要視されている）。

そうなると、科学研究は〝一番乗り〟をめざす競争という様相を呈してくるようになり、時に、それをめぐって論争も起きてくる。ニュートンがフックと重力の法則に関し、また、ライプニッツと微積分法の発見に関し先取権を争ったのは、その一例である。

そこで、こうした諍いを回避するには、誰が〝一番乗り〟を果たしたのかを公平かつ客観的に判定できるルールが求められる。『哲学会報』の刊行はまさしく、その役割を担うことになった。『哲学会報』に掲載された論文（手紙）が王立協会に届いた日付――これは公けに認定されるものとなる——をもって、そこに書かれた内容についての先取権を主張する根拠となるわけである。

学術雑誌に発表された科学上の発見は、広く多くの人々の知的財産として共有される。もはや一人の占有物ではなくなる。一方において、第一発見者としての先取権の栄誉は雑誌を通し、それを成し遂げた人だけが占有するという一種の二面性が見られるわけである。

こうして、オルデンバーグの雑誌創刊という〝発明〟は科学の共同体内における情報伝達の促進、効率化をはかっただけでなく、科学界特有の競争原理から生じる先取権問題の審判役としても有効に機能し始めるのである。

太陽王ルイ一四世とチャールズ二世

同じころ、海を越えたフランスでも、パリに集う科学愛好家のサークルの間で、研究を推進する共同体を組織しようとする機運が盛り上がりを見せていた。そして、一六六六年、国家の財政援助を得て、王立科学アカデミーが創設されるに至った。こちらはイギリスの王立協会と異なり、文字どおりの「王立」である。

時のフランス国王は〝太陽王〟と呼ばれたルイ一四世、事実上の宰相として政治にあたっていたのは財務総監コルベールである。コルベールは国家財政の建て直しと産業の振興にその手腕を発揮し、重商主義にもとづく経済政策を強引に遂行した人物として歴史に名前を残している。重商主義とは保護貿易主義であり、輸出産業を奨励して貿易差額によって国家の富をはかろうとする政策である。

そういう立場をとる財務総監にとって、科学技術の発展は産業の振興とそれによる輸出の増大につながるものとして映った。こうした功利主義は重商主義と合致したのである。そこで、コルベールは科学研究の組織化を訴える人々の要望を吸い上げ、それを国策として実行に移した。有能な研究者を会員に厳選し、彼らに国費から給与を支払い、官僚として研究に専念できる体制をつくったのである。これが王立科学アカデミーの始まりで、王立協会とは対照的な形態であった。

ところで、学会の創設の経緯にもその一端が表れているように、ルイ一四世の御代《みよ》、フランスは絶対王政の絶頂期にあった。国王が権力を握り、官僚機構を動かして、強力な統治を行っていたのである。

一方、イギリスでは王政復古がなされ、チャールズ二世は戴冠《たいかん》式を行ったわけであるが、その際、議会を尊重する旨の約束を結ばされていた。革命前の絶対主義の復活が危惧されたためである。しかし、やがて、国王はこうして議会に縛られながら国政を司ることに窮屈さを感じ始める。そして、自分もルイ一四世のように、専制君主たらんと欲するようになる。

チャールズ二世にとって、あるべき国王の姿に見えたルイ一四世は八歳下の従弟にあたる。こういう国を越えての血のつながりは日本人にはやや理解しにくく、それだけに面白いところでもあるが、彼ら二人はいずれも、フランス国王アンリ四世（在位一五八九―一六一〇）の孫になる。チャールズ二世の母アンリエッタ・マリア（チャールズ一世の妻）はアンリ四世の娘であり、ルイ一四世の父ルイ一三世はアンリ四世の息子という関係である。ちなみに、ルイ一四世の母アンヌ・ドートリッシュはスペイン国王フェリペ三世の娘になるので、ヨーロッパの王室の系図は相当にややこしいといえる。

ややこしくなってきたのは、チャールズ二世と議会の関係も同様であった。ニュートンが創造性を爆発させた一六六〇年代半ばころから、国王が議会と交わした約束は綻びが見え始める。そして、一六七〇年、イギリス国王は従弟のフランス国王と「ドーヴァーの密約」なるものを締結し、カトリック教徒を擁護することと引き替えに、フランスから武力援助をとりつけたのである。

これに対し反発を強めた議会は一六七三年、「審査法」を制定し、政府の公職に就くのはイギリス国教徒に限るという対抗措置に打って出た。

こうして国王と議会の対立が深まる中、チャールズ二世は晩年、議会を召集しないまま統治をつづけ、一六八五年に没している。

というように、チャールズ二世の二五年に及ぶ治世は、どう見ても落ち着いたものとはいえなかった。さらに、国王には嫡子《ちゃくし》がいなかったため、弟のジェームズ二世が即位するものの、新国王は審査法を無視してカトリック教徒を官職に登用し、専制政治を強行しようとする。そうなると、議会も黙ってはおらず、両者の対立は再び激化する。

それが火種となり、一六八八年、名誉革命が起きるのであるが、ここでしばらく、科学界の動きを追ってみることにしよう。

顕微鏡学者レーウェンフックと画家フェルメール

当時、オランダのデルフトはアジアとの交易を担う東インド会社の支部が置かれ、毛織物業や製陶業が盛んな商業都市であった。そこに織物商を営み、後に市の役人もつとめたレーウェンフックという人物がいた。彼の趣味は手製の高倍率の顕微鏡を用いて、肉眼では捉えられない微小な対象を観察することであった。

顕微鏡という〝文明の利器〟を駆使してミクロの世界に踏み入ったレーウェンフックは、一六七〇年代の半ばから、藻類、原生動物（アメーバやゾウリムシなどの単細胞生物）、菌類、輪虫、細菌《バクテリア》などの微生物を次々と発見している。これらの正体がすぐに明らかにされたわけではなかったが、一滴の池の水の中にも拡大しなければ気がつかない微小な生命体がうごめいている事実は、人々に大きな驚きを与えた。また、レーウェンフックは赤血球や精子、植物細胞の観察にも成功している。

そして彼は発見のたびに、そのスケッチと報告をロンドンの王立協会に送った。その数は三七五通にも達している。さらに、それらの成果を『顕微鏡によってあばかれた自然の秘密』（一六九五—一七一九年）としてまとめている。

おそらく、レーウェンフックは自分で磨いたレンズの下に広がるミクロの〝ワンダーランド〟に夢中で見入り、いままで誰も見たことがないであろう数々の光景をいち早く、多くの人々に知らせたいという衝動に駆られ、王立協会に宛て手紙を書きつづけたのであろう。

なお、レーウェンフックの顕微鏡は現在、オランダのユトレヒト大学に所蔵されている。それは単レンズの構造が簡単な装置で、一見するとそんなもので本当に微生物などが観察できたのだろうかと疑いたくなる。しかし、侮ってはいけない。一九九八年、イギリスの生物学者フォードがそれを用いて、赤血球やバクテリア、細胞核の写真を撮影し、レーウェンフックの先駆的な技量を実証している。

ところで、レーウェンフックと同じ一六三二年、デルフトでもう一人、歴史上有名な人物が生まれている。「真珠の耳飾りの少女」や「デルフト風景」などの作品で知られ、日本でも人気の高い画家のフェルメールである。そのフェルメールが描いた人物画に、「地理学者」と「天文学者」の二枚がある。

一九八一年、アメリカの美術史家ウィロックJr.が、その二人のモデルはレーウェンフックではないかという説を発表している（『フェルメールとその時代』河出書房新社）。「地理学者」の中に配されたコンパスや地球儀、「天文学者」の机の上に置かれた天球儀などは、科学に明るい人物から借りて描いたものであり、その提供者をデルフト市民の中から探せば、レーウェンフックを置いて他になかろうというのである。そうであるならば、フェルメールには「顕微鏡学者」と題する絵も描いてほしかったと思う（一六八六年にヤン・フェルコルイェという画家が、顕微鏡を手にしたレーウェンフックの肖像画を残している）。

さて、この時代、もう一人、この分野で活躍したのが、王立協会の重要メンバーであったフックである。レーウェンフックの手紙の内容を高く評価したのも、フックであった。

一六六五年、フックは顕微鏡で観察した植物、鉱物、昆虫などの細密画を多数、掲載した『ミクログラフィア』を出版している。巨大に拡大されたノミ、ハエ、シラミ、ダニ、ボウフラ、蟻《アリ》、蛾《ガ》の観察画は実にリアルで、造化の妙と生物の機能の巧みさには見る者を

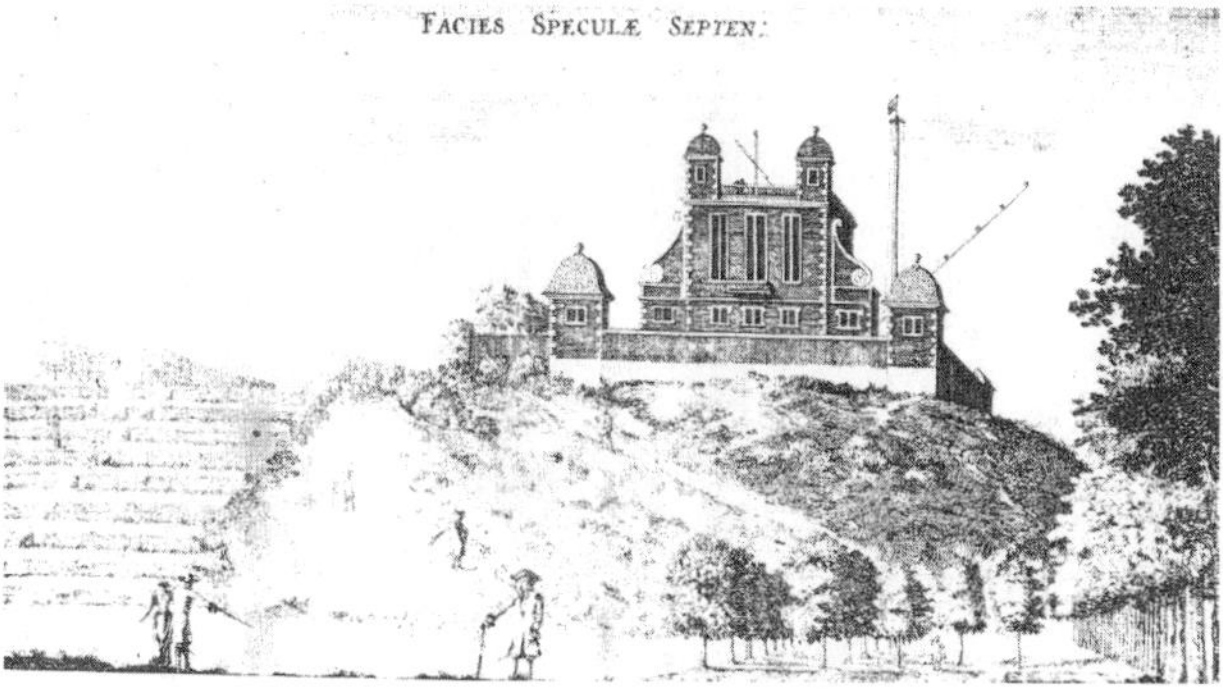

図1-6　フラムスティード時代のグリニッジ天文台の外観（"Apples to Atoms" by W.D.Hackmann. National Portrait Gallery, London）。

圧倒する迫力がある。また、フックはコルクの薄い細片に小さな穴が密集していることを発見し、これを小部屋を意味する「セル」（cell）と呼んだ。フックが見たのは植物の死んだ組織で中は空洞であったが、後にこれが細胞を表す用語として使われるようになる。

グリニッジ天文台の設立

顕微鏡と並んで〝文明の利器〟として威力を発揮した装置に、望遠鏡がある。この道具を使って一六一〇年、ガリレオが『星界の報告』を著し、月の起伏に富んだ地形や木星の衛星、肉眼では見えなかった無数の恒星の存在を発見したのを嚆矢《こうし》として、一七世紀は望遠鏡天文学の夜明けとなった。

そうした歩みの中で、一六七五年、ロンドン郊

図1-7　フラムスティード時代のグリニッジ天文台の内部。右側に望遠鏡、左側に四分儀（天体の高度を観測する装置）が描かれている（Hackmann、前掲書）。

外に王立グリニッジ天文台が設立され、初代天文台長（王室天文官）にフラムスティードが就任した（図1－6）。

　当時、航海を安全に行うには、洋上で船がいる位置の経度を正確に知る必要があった。そのためには、詳しい星表（恒星の位置や運動をまとめたカタログ）と月の運行表を整備しなければならないと考えたフラムスティードは、高い精度の観測を行い、そのデータを王立協会に報告していた。

　そこで、海洋進出をもくろむチャールズ二世は天体の位置観測を目的に、グリニッジ天文台をつくり、フラムスティードを台長に任命したのである（図1－7）。ガリレオが望遠鏡を通して夜空を眺めていた時代、その営みはまだ、純粋に知的好奇心に駆られるところが大きかったと思われるが、グリニッジ天文台の建設は、国家の野望を背景にした航海術の向上という実務的な思惑とつながったのである。

　フラムスティードはその任にあたり、洋上での経度決定に重要となる月と恒星がなす角度（これを月距《げっきょ》という）のデータを蓄積したのである。

なお、経度を国際的に定めることの合意が得られるのは、それから二世紀後の一八八五年であり、グリニッジを通る子午線《しごせん》（北極と南極を結ぶ大円）をその基準にとることが決められた。イギリスが世界最大の植民地を有し、陽の沈むことがないと表されたヴィクトリア女王の時代である。

ロンドンのコーヒーハウス

図1-8　ロンドンのコーヒーハウス

さて、話を再び一七世紀に戻すと、大航海時代を経て、ヨーロッパには海外からさまざまな農作物や嗜好品が運び込まれるようになり、それにつれて市民生活にも変化が生じてきた。嗜好品のひとつにコーヒーがあり、ロンドンには人々のたまり場として、コーヒーハウスが開かれるようになっていた（図1－8）。コーヒーハウスには新聞が何種類も置かれていた。新聞を読んで世の中の動きを知ろうとする人たちがコーヒーを飲みながら、世間話や政治談義に花を咲かせていたのである。

こうした当時のイギリスの新聞事情について後世、夏目漱石が一八九九（明治三二）年、雑誌『ほととぎす』に「英国の文人と新聞雑誌」と題する興味深い一文を発表している（『漱石全集』第十三巻、岩波書店に収録）。

それによると、イギリスの新聞の起源は一六二二年に、ナサニエル・バッターという印刷業者がニュースを週報として定期的に発行し始めたことに遡るという。この時代、貴族はロンドンに屋敷を構えていたが、都で暮らすのは一年のうち三分の一ほどで、残り三分の二は田舎で過ごすのが常であった。そうなると、留守の間、都ではどんなことが起きているのかを知りたくなる。そこで、バッターは一計を案じた。注文をとり、毎週一回、田舎へ宛ててニュースを印刷して、依頼者に発送したのである。なかなかのアイデアマンといえる。これが発端となり、一七世紀末には紙面の体裁を完備した新聞がいくつも発行されるようになったと、漱石は書いている。それがコーヒーハウスに市民が集うようになった一因である。

ところで、どうしてこういう話を始めたのかというと、一六八四年一月のこと、ロンドンのとあるコーヒーハウスに王立協会の三人のメンバーが集まり、議論を重ねていたからである。三人とは同会会長をつとめたレン、事務局長のフック、そして若い天文学者ハレーである。

議論していた内容は天体の運動に関する問題であった。「太陽から距離の二乗に逆比例して減少する力（重力）の作用を受けるとき、惑星はどのような軌道を描くのか」について、意見を交換していたのである。この問題に強い関心を抱いていた彼らであったが、誰も数学的に天体の運動を導き出すことはできておらず、この日も明快な答えを見出せぬまま、コーヒーハウスを後にした。

そこで、その年の五月、ハレーはケンブリッジを訪れ、トリニティ・カレッジのルーカス講座教授であったニュートンに、この問題をぶつけてみた。このとき、ハレーはニュートンの返事を聞いて腰を抜かすほどびっくりする。ニュートンはいともあっさりと、その件ならすでに解決済みであると答えたからである。

実際、その半年後、ハレーのもとにニュートンから「回転する物体の運動について」と題する論文が送られてきた。そこには、惑星は重力の作用により、太陽をひとつの焦点とする楕円軌道を描くことの証明が綴られていた。コーヒーハウスでレン、フックと議論し合った難問がみごとに解かれていたのである。

これに感動したハレーはすっかりニュートンに心酔し、その内容をさらに詳しく書物にまとめて発表してほしいと熱く訴えた。こうした二人の出会いがきっかけとなり、一六八八七年、近代科学の金字塔といえる『プリンキピア』が出版されることになった（図1－1）。

ニュートンの『プリンキピア』

それではここで、ニュートンの代表作の内容を簡単に見ておこう（図1－9）。

『プリンキピア』は三編からなるが、本論に先立って、「公理あるいは運動の法則」の項が設けられ、そこに有名な「ニュートンの運動の三法則」（慣性の法則、加速度と力の作用の関係、作用反作用の法則）が掲げられている。

本論に入ると、第一編では一七世紀初めにケプラーが発見した惑星の運動に関する法則（前節で述べた楕円軌道はそのひとつ）の詳しい証明が記されている。ハレーに送った論文の内容は、この第一編に収められている。つづく第二編では、媒質中で抵抗を受けながら運動する物体の問題や流体力学が論じられている。そして最後の第三編では、重力の法則とその作用によって生じる現象が扱われている。

かつて、天動説が支配的であった時代、宇宙は星々が属する天上界と人々が住む地上界に峻別《しゅんべつ》され、二つの世界ではそこを構成する元素も運動の法則もまったく異なると理解されていた。したがって、このような区分けをしてしまうと、普遍性を旨とする自然科学が芽生える土壌が初めから摘み取られることになる。

これに対しニュートンは天上界と地上界の間にある壁を取り払い、リンゴの落下も月や惑星、彗星の運動も潮の干満もすべて、重力という共通の作用によって引き起こされることを証明したのである。さきほど、王立協会の創設を述べた箇所で引用した『プリンキピア』の一節は、このことを指している。

図1-9　『プリンキピア』（第3版）を開いたニュートンの肖像。1726年、作者不詳、ナショナル・ポートレイト・ギャラリー所蔵（写真提供：Granger ／ PPS通信社）

具体例として、月の運動をあげておこう。

地球と月の距離は地球の半径の約六〇倍にあたるので、重力が距離の二乗に逆比例して弱まるとすれば、運動の第二法則（加速度は作用する力に比例）から、月が地球の周りを回る加速度は地上での重力加速度（リンゴが落ちるときに得る加速度、約九八〇センチメートル／秒^2）の三六〇〇分の一（六〇分の一の二乗）になるはずであるが、その値は観測と一致することをニュートンは証明している。

つまり、地球の重力は地上の物体に対してだけでなく月までも届いており、その効果で月を地球の周りにつなぎとめているわけである。もしそうでなければ、月は地球から離れ、一直線に宇宙のかなたへ飛んでいってしまう（陸上競技のハンマー投げで、回転していたハンマーが選手が手を離した瞬間、飛び去っていく軌道をイメージすればわかりやすいかもしれない）。これについてニュートンは『プリンキピア』の中で、「月は地球に向かって引かれ、重力により常に直線運動からそらされているので、地球の周りを回りつづけている」と述べている。

ニュートンにとって、リンゴの落下とぽっかり浮かぶ月の運動は、重力という共通の作用による同じ現象に見えたのである。ここにニュートンは力学をもって、天動説との決別を告げたといえる。

ペティの『政治算術』

『プリンキピア』が出版された一六八七年、王立協会の創設に尽力したウィリアム・ペティという会員が亡くなっている。

ペティはピューリタン革命下ではクロムウェルの命により、アイルランドで土地の測量にあたっていたが、王政復古がなされると、今度はチャールズ二世に認められ、アイルランド土地測量総監をつとめ、植民事業に携わった人物である。そうした経験を生かし、ペティは『政治算術』と題する書物を著している（図1－10。出版されたのは死後三年の一六九〇年であったので、表紙の著者名の下に「故王立協会会員」と表記されている）。

ペティはこの本を通し、人間社会の研究に数量的な扱いを導入し、論理の展開に客観性や実証性をもたせようと試みたのである。『政治算術』の序文には、「著者の立論の方法と態度」として次のように記されている。

> 私がこのことをおこなうばあいに採用する方法は、現在のところあまりありふれたものではない。というのは、私は、比較級や最上級のことばのみを用いたり、思弁的な議論をするかわりに、（私がずっと以前からねらいさだめていた政治算術の一つの見本として）自分のいわんとするところを数（Number）・重量（Weight）または尺度（Measure）を用いて表現し、感覚にうったえる議論のみを用い、自然のなかに実見しうる基礎をもつような諸原因のみを考察するという手つづき（Course）をとったからであって、個々人のうつり気・意見・このみ・激情に左

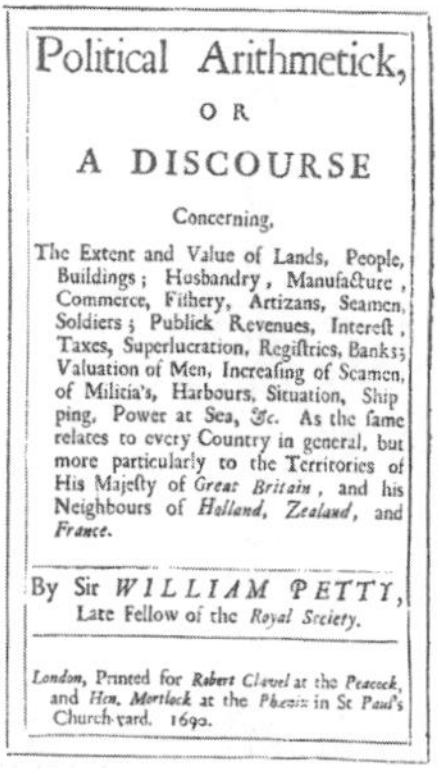

Political Arithmetick,

OR

A DISCOURSE

Concerning,

The Extent and Value of Lands, People, Buildings; Husbandry, Manufacture, Commerce, Fishery, Artizans, Seamen, Soldiers; Publick Revenues, Interest, Taxes, Superlucration, Registries, Banks; Valuation of Men, Increasing of Seamen, of Militia's, Harbours, Situation, Shipping, Power at Sea, &c. As the same relates to every Country in general, but more particularly to the Territories of His Majesty of *Great Britain*, and his Neighbours of *Holland*, *Zealand*, and *France*.

By Sir *WILLIAM PETTY*, Late Fellow of the *Royal Society*.

London, Printed for *Robert Clavel* at the *Peacock*, and *Hen. Mortlock* at the *Phoenix* in St *Paul's* Church-yard. 1690.

図1-10　ペティ『政治算術』（1690年）

右されるような諸原因は、これを他の人たちが考察するのにまかせておくのである。

（大内兵衛、松川七郎訳、岩波文庫）

『政治算術』は今日、統計学や経済学と呼ばれる領域を開拓した社会科学の古典として位置づけられる作品であるが、その序文を読むと、ニュートンらの活躍を通し、盛んになりつつあった自然科学の方法を強く意識して、人間社会の営みを分析しようとした意気込みが感じ取れる。「採用する方法がありふれたものでない」と新奇性、独創性を強調し、それまでの論理の進め方であった「思弁的な議論」をやめ、「数、重量、尺度」といった客観的な概念を用いて、実証的な学問の構築を試みたペティは、明らかに自然科学を範として社会現象を研究しようとしたのである。

王立協会に身を置いたというペティの環境も大きく影響したのであろうが（彼はもともとはオランダやフランスで医学を修め、オックスフォード大学教授をつとめた解剖学者である）、台頭著しい自然科学の方法は他の分野へも波及し始めたのだ。

しかし、何かを範とするのは結構であるが、自然科学の方法を短絡的にそのまま他の分野にも当てはめようとすると、陥穽《かんせい》におちいる危険性がある。研究方法はその対象の特徴と不可分に結びついているからである。『プリンキピア』の正式な書名は『自然哲学の数学的原理』である。ここでニュートンは対象を「自然」に限定した場合には、「数学」という厳密さを保証された〝言語〟がきわめて有効であると断っているのである。したがって、そのアナロジーとして、自然とまったく性質の異なる「政治」（人間の社会）に「算術」（数学）を適用しようとしても、自ずと限界がある。

こうした自然科学を社会科学に取り込もうとする混乱はその後も歴史を通して、ずっと引きずられていくことになる。特に社会科学の中でも数量化された概念の多い経済学で、その影響は顕著となる。たとえば、こういう指摘がある。

一九世紀の終わりに生まれた経済学（いわゆる近代経済学）は、形式的には古典力学の全面的アナロジーとして、創案されたものと考えてさしつかえない。（中略）そういう意味で近代経済学の方法あるいはものの考え方は、ニュートンに始まる古典力学の影響を色濃く受けているのである。

（「経済学における偶然性の概念」佐和隆光、『偶然と必然』東京大学出版会に所収）

繰り返しになるが、対象の性質がそれを解析する方法の適不適を規定するという制約を考えると、ニュートン力学を諸学の模範として崇め奉り、その方法をまねしたからといって、必ずしもうまくいくわけではない。それにもかかわらず、『プリンキピア』刊行から二世紀を経てもなお、いま引用したような状況が生じていたという事実は、その間、古典力学が客観性、普遍性、実証性、厳密性をいっそう高めながら諸現象を解明し、発展を遂げたことを側面から物語っているのであろう。そして、そのルーツはニュートンにあったのである。

名誉革命とニュートン

さて、『プリンキピア』が世に問われた翌一六八八年、さきほど書きかけたように、専制政治を強行し、カトリック教国の復活をもくろむジェームズ二世に対抗する議会によって名誉革命が起きた。

議会を構成するホイッグ党、トーリー党の指導者たちは、ジェームズ二世の娘メアリの夫でありオランダ総督の新教徒オレンジ公ウィリアムに軍隊の派遣を要請する。これを受け、一万二〇〇〇といわれる兵を率いてイギリスに上陸したウィリアムのもとには、多くの貴族らが集結、一方、ジェームズ二世は自分の軍隊にも見放され、フランスへ亡命した。

翌一六八九年、ウィリアムとメアリの二人は、国王の専制を防ぐために議会が発した権利の宣言を受け入れ、ウィリアム三世とメアリ二世として共同で王位に就いた。

なお、名誉革命と呼ばれる所以《ゆえん》は、血が流されることがなく事態が終結したからだといわれている。とはいえ、国王が実の娘とオランダ育ちの娘婿（ウィリアム三世はジェームズ二世の甥でもある）に追放され、国外に去ったわけであるから、どちらにとっても、あまり名誉な話ともいえないような気がする。さきほども触れたが、ヨーロッパの王室の系図と相関は実にややこしい。

ところで、名誉革命の最中、その後の王位継承者と国政のあり方を議論するために議会が召集されたとき、ニュートンはケンブリッジ大学選出の議員となり、短期間ではあるがロンドンに赴いている。大学にもカトリック化を推し進めようとしたジェームズ二世の干渉に、ニュートンが強く反対した姿が評価されての選出と伝えられている。

ニュートンは『プリンキピア』を執筆しながら、大学に対する国王の圧力に異を唱えつづけ、名誉革命下では国会議員としての職責も担ったのである。天才のこうした活動にも当時のイギリスの歴史が映し出されている。

ナイトに叙せられたニュートン

このころから、ニュートンの人生に大きな転機が訪れ始める。

一六九六年、ニュートンは三五年を過ごしたケンブリッジを去り、ロンドンに転居している（ただし、トリニティ・カレッジのルーカス講座教授には一七〇一年までとどまっていた）。カレッジの後輩で当時、大蔵大臣の地位にあったモンタギュー（ハリファックス伯爵）の斡旋《あっせん》で、造幣局監事に就任したからである。前国王ジェームズ二世の圧力に抵抗した功績が認められての人事であったのであろう。

ただし、従来、監事は名誉職的な色彩が濃く、俸給は受けても、自分で実務をこなす必要はほとんどないポストであった。ところが、ニュートンはそうした閑職に甘んじることはなかった。

一六九四年、モンタギューはイングランド銀行を設立して財政再建に取り組み、その基盤として造幣局は貨幣改鋳という国をあげての大事業に取り組んでいた。チャールズ二世の時代まで、銀貨は手作業による工程で製造されていたため、重さにも形にもばらつきがあった。そのため、銀貨の縁《ふち》を切り取るという不正行為が普通に行われていた。これではまともな商取引はできず、経済は混乱してしまう。国が貨幣改鋳に踏み切ったのは、こうした事情があったからである。

そして、改鋳が急ピッチで進められている最中、監事に就任したニュートンは、贋金造りの撲滅という大仕事に自ら積極、果敢に乗り出した。こうした行動は、前任の監事たちにはとても考えられないことであった。その仕事ぶりは目を見張るものがあり、ニュートンは大がかりな貨幣偽造組織の頭目を逮捕し、死刑台に送るという力業を成し遂げている。ケンブリッジで一人、静かな学究生活に浸っていたのと同じ人物とは思えないほどの変貌ぶりをみせたのである。監事としての貢献と『プリンキピア』を通して得た名声も手伝ったのであろう、一六九九年、ニュートンは造幣局長官に昇格し、死ぬまでその職をつとめ上げた。

また、一七〇三年には王立協会会長に選ばれ、この地位も亡くなる一七二七年までおよそ四半世紀にわたって守りつづけ、イギリス科学界に君臨した。この長期政権の年数は、植物学者のバンクスが一七七八年から一八二〇年までの四二年間、王立協会会長をつづけるまで破られることはなかった。

さて、共同で王位に就いていたメアリ二世が一六九四年に、夫のウィリアム三世も一七〇二年に亡くなったため、メアリ二世の妹にあたるアンが王位を継承し、女王となった。一七〇五年、ニュートンはそのアン女王から「ナイト」に叙せられている。ニュートン卿（Sir Newton）と呼ばれる一代限りの栄爵に浴したのである。科学研究の業績が認められての叙爵はニュートンが最初であり、その後は、電気分解によるアルカリ金属元素の発見などで知られるデイヴィーが一八一二年に授爵されるまで例がない。

なお、ニュートンはナイトの紋章に、人間の脛《すね》の骨をX字形に交差させたデザインをとり入れている。日本人の感覚からすると、よりにもよって人骨の組み合わせとはまた奇妙なものをと思うが、ヨーロッパの紋章には骸骨や墓を図案化したものまであるという。

ここでもう一度、図1－9（51ページ）をご覧いただこう。少し見づらいが、ニュートンの肖像画の右下隅（机の側面）に彫られているX字形が、ナイトの紋章である。机の上に開かれた『プリンキピア』と机に刻印されたナイトの紋章は、そろってニュートンの栄達ぶりを飾り立てているように見える。

ハレー彗星

ところで、さきほど経度の測定について触れたが、海洋進出を推し進めるイギリスにとって、科学上の観測を目的とした航海は重要な事業のひとつであった。この分野で大きな役割を果たしたのが、『プリンキピア』出版の裏方として尽力した天文学者のハレーである。

大航海時代が到来するまで、ヨーロッパの人々は南半球の星を見る機会がなかった。一五一九年、スペイン王の命のもと、ポルトガルのマゼランが香辛料を求めて西回りの進路をとって出帆した。一隊は南米大陸の南端を航海中、今日「マゼラン星雲」と呼ばれている星の集団や南十字星を発見している。しかしその後も、南半球の詳しい天体観測はあまり進まなかった。その突破口を開いたのが、ハレーである。

一六七六年からの二年間、ハレーは南大西洋のセントヘレナ島（一八一五年、ナポレオンが流刑される島）を拠点にして観測をつづけ、三四〇余りの南半球の星が載った表を発表している。また、一六九八年から一七〇二年にかけて南アフリカ、アメリカへ遠征、各地点における地磁気偏角を測定し、その偏角を示す地図を作製した。同時に海図も描いている。

ところで、ハレーのもっとも有名な業績はなんといっても、彗星に関するものであろう。ニュートンは『プリンキピア』に、彗星も惑星と同様、太陽の重力に引っ張られて運動していると記していた。そこで、この考えを受け入れたハレーは、過去の彗星の観測記録を調べてみた。すると、一六八二年に現れた彗星の動きが、遡ると一六〇七年、一五三一年、一四五六年の彗星とよく似ていることに気がついた。そこから、ハレーはこの四つの彗星は同じものであり、太陽の重力に束縛され、七五〜六年の周期で回帰してきたものと推測した。

そして、計算の結果、この彗星は太陽の周りを細長い楕円軌道を描いて公転しているとする説を、一七〇五年、『彗星の天文学の概要』の中で発表している。さらに次回は一七五八年、彗星は再び地球に接近してくると、ハレーは予言したのである。

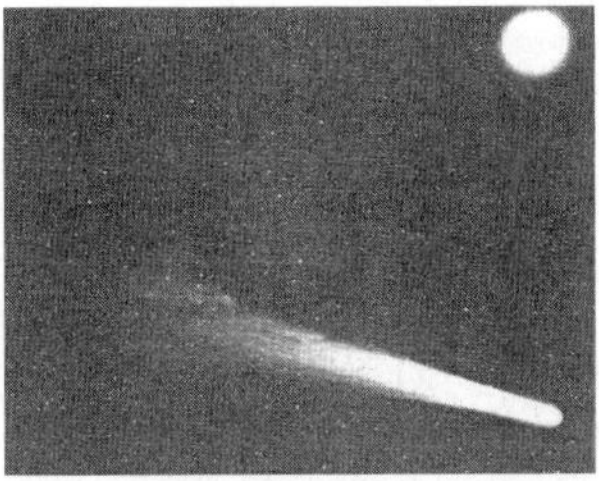

図1-11　1910年に回帰してきたときのハレー彗星。右上は金星。ウッド撮影（Hackmann、前掲書）

一七二〇年、ハレーはフラムスティードの後任として、グリニッジ天文台長に就任、洋上で経度を求めるときに必要となる月の観測を前任者から引き継いで行っている。そして、その職に就いたまま、一七四二年、天文台の自室でブランデーを痛飲し、意識を失ったままこと切れたと伝えられている。八五歳であった。長い洋上生活を過ごしてはまったと思われる過度の飲酒癖が命取りになったようであるが、八五歳という高齢まで天文学の第一線に立ち、病床ではなく、天文台長室で倒れたハレーの最期は、以って瞑すべしといえるのではないだろうか。

彼の死から一六年が経った一七五八年のクリスマス、ドイツのパリッチが望遠鏡の中にハレーがその回帰を予言した彗星を捉えた。これを機に、この星は「ハレー彗星」と呼ばれるようになった。

このときまで生きてはいられないと思ったハレーは「公正な後世の人々は、この彗星を最初に発見したのは一人のイギリス人であることを認めてくれるであろう」と書き残しているが、星にかけた彼の願いはみごとにかなえられたのである。それはまた、ニュートン力学の予知能力を人々に強く印象づける出来事でもあった。

その後、ハレー彗星は一八三五年、一九一〇年、一九八六年と三回、地球に接近している。一九一〇年には、彗星特有の長い尾を引く姿が初めて写真に収められた（図1－11）。一九八六年の回帰では、欧州宇宙機関（ＥＳＡ）の探査機がハレー彗星から噴き出されるガスと塵の中に突入し、彗星本体の撮影に成功している。その結果、本体は長さが約一五キロメートル、幅が約七～一〇キロメートルのピーナッツの殻のような形をしていることが明らかにされた。

ちなみに次の最接近は二〇六一年である。七五～七六年というハレー彗星の周期はほぼ人間の一生と同じ長さであり、この間の科学技術の進歩は著しい。今度ハレー彗星が現れるとき、人類は果たしてどんな観測計画を立て、その到来を待ち構えるのであろうか。

外交官、宮廷顧問官としてのライプニッツ

いつの間にか話が一八世紀後半まで飛んでしまったが、時間を巻き戻し、ここで一七世紀後半のヨーロッパ大陸の政治情勢を見てみよう。

ルイ一四世の絶対王政のもと、日の出の勢いで隆盛を誇るフランスに対し、ドイツ（神聖ローマ帝国）は三十年戦争（一六一八～四八年）の傷跡が深く残り、復興がなかなか進ま

なかった。この戦いは一六一六年、カトリックとプロテスタントそれぞれの諸侯の間で繰り広げられた内乱であったが、やがて新教国のデンマークやスウェーデン、旧教国のフランスも参戦し、長期化の様相を呈していた。やっと終息を迎えるのは一六四八年、ウェストファリア条約の締結によってである。

その結果、皇帝の支配権は弱体化し、ドイツでは三〇〇ほどの諸侯が主権を握る、大小の領邦国家が分立する状態がいっそう進むこととなる。

そうした状況の中、一六七二年、フランスはオランダに侵攻、ルイ一四世の不穏な動きはドイツ諸侯にとっても脅威となった。このとき、外交使命を帯びてパリに派遣された使節団の中にライプニッツの姿があった。ライプニッツはアルトドルフ大学（ニュルンベルク）で法律の学位を得た後、マインツ選帝侯に仕え、政治にかかわる仕事に就いていたからである（選帝侯とは神聖ローマ帝国の皇帝を選ぶ際、選挙権をもつ有力諸侯のこと）。

パリに赴いたライプニッツはルイ一四世の標的をドイツから逸らすため、その鋒先《ほこさき》をイスラム圏のトルコに向け、併せてフランスのエジプト遠征を画策した。しかし、フランスはこの新しい〝十字軍〟作戦に関心を示さず、ライプニッツの計画は没に終わったが、彼はそのままパリにとどまり、四年間を当時、ヨーロッパの学芸の中心であった都で過ごすことになる。

この期間に、ライプニッツはフランスの科学アカデミーの招聘《しょうへい》を受け、パリに滞在していたホイヘンスと親交を深める機会を得た。ホイヘンスは兄と共同で改良した望遠鏡による土星の環の発見（一六五五年）や振り子時計の発明（一六五六年）、光の波動説（『光についての論考』一六九〇年）などの業績が有名であるが、曲線の求積問題の研究も行っており、微積分法が形成される前段階で重要な貢献をしている。

それにしても興味深いことは、当時、フランスとオランダは戦争状態にあったにもかかわらず、科学アカデミーは敵国の学者を招き、厚遇したことである。それは科学アカデミーを設立した太陽王の寛大さ、太っ腹の表れであったのだろうか。

さて、ホイヘンスとの出会いをきっかけにライプニッツは数学への関心を深め、早くも一六七五年には微積分法の基礎を確立している。今日用いられているdxや∫の記号は、このときライプニッツが導入したものである。

ライプニッツはアルトドルフ大学の前、ライプツィヒとイエナの大学で哲学と数学を学んではいたが、いかにホイヘンスの影響を受けたからとはいえ、外交使命を負って赴任した地で、しかもこれだけ短期間に数学の基本定理を発見するのであるから、畏れ入るとしかいいようがない。なお、ライプニッツが『ライプツィヒ学報』に微積分法を発表するのは九年後の一六八四年になる。これが後に、発見の先取権をめぐり、ニュートンとの確執を生むことになるが、その話題に移る前に、もう少し彼の政治的活動を追ってみることにしよう。

パリ滞在中にマインツ選帝侯が亡くなったため、一六七六年、ライプニッツは帰国し、今度はハノーヴァー侯に宮廷顧問官として仕えることになる。こうなると政務に忙しく、なかなか学究生活に浸ることは難しくなる。微積分法の発見をまとめ、発表するのが遅れたのも致し方なかろう。

ライプニッツが仕官している間にハノーヴァー侯は二回、代替わりがあり、一六九八年、ゲオルク・ルードウィヒが侯位を継いだ（彼の父の代にハノーヴァー侯は選帝侯となっている）。

イギリスではニュートンに授爵したアン女王が一七一四年に亡くなるが、それによって一六〇三年のジェームズ一世に始まるステュアート朝の王位継承者が跡絶えてしまった。そこで、一七〇一年に議会で制定された王位継承令に則り、アン女王の遠戚にあたるゲオルクがジョージ一世として即位するのである（アン女王もジョージ一世もステュアート朝初代国王ジェームズ一世のひ孫に当たる）。ここにハノーヴァー朝が創始されることになる。

もう一度書くが、ヨーロッパの王室の家系図は国を越えて入り組んでおり、日本人の感覚からすると、怪奇とまでいっては礼を失するが、少なくとも複雑ではある。しかも、ドイッからやってきた新国王は英語を話せず、イギリスの制度や習慣にも不案内であったというから、やはり怪奇の印象は拭えない。

なお、ライプニッツはハノーヴァー選帝侯がイギリス国王となる際、王位継承権を有する血縁関係の確認作業など宮廷顧問官の職務に精励し、イギリスに赴任することを願い出たものの、希望はかなわなかった。もし、このとき、ロンドンに渡っていれば、王立協会会長となり政府高官であったニュートンと直接、話し合う機会が生まれていた可能性がある。そうであったならば、微積分法の先取権争いはこれから述べるほどは泥沼化しなかったかもしれない。

ニュートンとライプニッツの戦い

微積分法はニュートンとライプニッツにより、完全に独立に発見されていた。この点に関し、ニュートンは一六八七年に刊行した『プリンキピア』初版の中で、「一〇年前、ライプニッツと手紙を取り交わしたとき、このすぐれた幾何学者も私と同様に微積分法に到達しており、用語と記号の使い方を別にすれば、それは私のものとほとんど違わない方法であることを伝えてきた」という趣旨の内容を書いている。

つまり、この時点では、ニュートンはライプニッツの独自性をはっきり認めている。にもかかわらず、二人の巨人の間でその発見をめぐる諍いは、なぜ起きてしまったのであろうか。事態が悪化していく原因、経緯はさまざまで複雑であるが、当人たちどうしの対立というよりも、むしろ周囲の人々の言動が混乱を誘発してしまったという嫌いがある。

さきほど触れたとおり、ライプニッツが導入した演算記号は現在用いられているものであり、それからもわかるように、ニュートンのものより計算に適していた。そのため、ライプニッツ流の表記法が定着していくのであるが、そこから、イギリスでは、ニュートンが発見した微積分法をライプニッツは単に自分のスタイルに置き換えたに過ぎないとする捉え方が広がっていった。

一方ドイツでは、この新しい数学の発見者はライプニッツであり、ニュートンはそれに手を加えて、力学の計算などに利用したにすぎないという反論が発表されるようになる。いずれも発信源はニュートンでもライプニッツでもなく、それぞれの取り巻き、信奉者たちであったが、こうした批判の応酬は一度始まってしまうと、どんどんエスカレートしていく。そして、やがて当人たちもいわば巻き込まれる形で相手を非難し合うようになり、誹謗《ひぼう》合戦は収拾がつかなくなってしまった。

結局、二人の諍いは解決されぬまま、一七一六年、ライプニッツはハノーヴァーで亡くなる。それでも、ライプニッツに対するニュートンの怒りと憎しみは消えなかった。

その証拠に、ニュートンは一七二六年に出版された『プリンキピア』第三版では、初版で〝すぐれた幾何学者〟と敬意を表したライプニッツの名前を削除している。図1－9の肖像画に描かれた机上の『プリンキピア』は、ライプニッツの存在を抹殺した第三版である。

ライプニッツは外交官としてパリに赴任中の一六七三年、短期間ではあるがロンドンに滞在し、王立協会のオルデンバーグ、フック、ボイルらと出会っている。ボイルはフックが製作した真空ポンプ（図1－12）を用いて実験を行い、一六六二年、気体の温度、圧力、体積の関係を与える有名なボイルの法則を発見、一六八〇年には王立協会会長に推されるも就任を辞退した人物である。

図1-12　ボイルが気体実験に使った真空ポンプの復元模型（Hackmann、前掲書）

こうしたイギリス科学界の重要人物とライプニッツは面識を得たものの、ニュートンに会うことはなかった。ニュートンはその前年、王立協会会員となってはいたが、まだケンブリッジにいたため、ライプニッツは会う機会を逸している。また、前述したように、ハノーヴァー選帝侯がジョージ一世としてイギリス国王に就いたとき、ライプニッツはハノーヴァーに据え置かれ、ロンドンに渡れなかった。結果、彼らはついに直接、相まみえることなく終わってしまった。

取り巻きたちの扇動的な言動にも影響され、次第に冷静さを失っていった二人の抗争は感情むき出しの様相を露わにしてしまった。こうした展開は不幸ではあったが、イギリスとドイツの巨星の一歩も譲らぬ態度はそれだけ科学研究が第一発見者たることに至上の価値を置く営みであることを、はからずも教えてくれたのである。

ニュートンの死

ライプニッツがハノーヴァーで仕えたジョージ一世は、一七二七年六月一一日に亡くなった。王位を継いだのは、やはりドイツ生まれの息子のジョージ二世である。

前国王はイギリスの政治に関心を示さなかったことから、一七二一年に実質的な首相の座に就いたウォルポールが政治の実権を握り、彼のもと、内閣が議会に対して責任を負う責任内閣制が形成されていった。「王は君臨すれども統治せず」という政治体制に移っていくのである。それでも、ジョージ一世の治世はピューリタン革命から名誉革命にかけての騒乱、混乱期とは異なり、イギリスはまずまず平穏な時代であったといえる。

さて、同じ年、国王の死去に先立つ三月二〇日、ニュートンもロンドン郊外ケンジントンの私邸で八四年の生涯を閉じている。

このとき、ロンドンに滞在していたフランスの啓蒙思想家ヴォルテールは後に、『哲学書簡』(一七三四年)の中で「彼は生前同国人から尊敬されて来たが、葬られたときもまるで臣下に恩恵を施した王のようであった」と記している(林達夫訳、岩波文庫)。また、フランス王立科学アカデミーのフォントネルはニュートンに捧げる頌徳文《しょうとくぶん》を書き、「国中の学者こぞっての称賛ぶりで、反対者はおろか、程よい賛美者であることさえ許されない」、「彼は自らの神格化を目のあたりに見た」と評した(『ニュートン』島尾永康、岩波新書)。

実際、ニュートンは在職年数二四年に及ぶ王立協会会長も二八年に及ぶ造幣局長官も死ぬまでつとめ上げている。しかも、最後まで実務をこなし、組織の運営を独裁的に取り仕切ったのである。同じ年に没した国王とは対照的に、ニュートンは「君臨し、かつ統治する」姿勢を貫きとおしたのである。

ヴォルテールとフォントネルの言葉を援用すれば、近代科学史上最大の巨人はまさに、国王よりも〝神格化された王〟となって、ウェストミンスター寺院に葬られた。

ニュートン力学とフランス

ニュートンの死後、彼が築いた力学は舞台をイギリスからヨーロッパ大陸に移して発展をつづけるが、その中心となったのがフランスである。

一七二八年、イギリスに渡り、ニュートンの学説を研究したフランスの数学者モーペルテュイは帰国後、一七三二年、重力理論を支持する『天体形状論』を著している。この書はニュートン力学をフランスでも普及させる火つけ役となった。

その具体例のひとつが、地球の形状の測定である。ニュートンは『プリンキピア』の中で、地球は完全な球体ではなく、赤道方向にわずかに膨らんだ回転楕円体であると述べている。これは自転による遠心力が働くためであり、極方向の半径と赤道方向の半径の比は二二九対二三〇になると算出した。わかりやすくいうと、地球は少し押しつぶされた扁平（横長）な形をしていることになる。

そうだとすると、緯度が高くなるにつれ（北極に近づくにつれ）、子午線の一度分の長さが徐々に伸びていく。そこで、ニュートンの計算を確かめるべく、フランスの科学アカデミーは一七三五年、遠征隊を赤道直下の南米大陸（現在のエクアドル）へ、その翌年、別の一隊を北極圏のラップランドへ派遣した。そして、測量の結果、地球の扁平説が確認されたのである。

それにしても、当時、北極圏ならまだしも、大西洋を渡って南米まで遠征隊を送り、アンデス山脈やアマゾン川といった難所が待ちかまえる地で測量を遂行することは、事業そのもの困難さもさることながら、財政的にも国家にとって大きな負担だったはずである。

時のフランス国王は一七一五年、ルイ一四世から王位を継いだ、ひ孫のルイ一五世である。一八世紀の南米はフランスが測量を行った地域を含め、西側のほとんどはスペインの植民地、一方、東側の広い範囲はポルトガルの植民地であった。こうした状況を考えると、フランスが地球の形状測定という大きな計画を実施したのは、単にニュートンの説を検証するという純粋に科学上の目的だけでなく、それを名目にして覇権主義的な政策のもと、南米の調査に乗り出したのではないかと勘ぐりたくなる。

それはともかくとしても、北極圏の遠征に加わった数学者のクレローが測量結果をもとにして『地球形状論』(一七四三年)を著すと、大陸でのニュートン力学の受容はさらに加速されていった。

ところで、『プリンキピア』はラテン語で書かれており、モッテによる英語版が出版されるのは、ニュートン没後二年目の一七二九年である。さらに、外国語版となるフランス語訳が出るのは一七五九年になるが、翻訳を行ったのはエミリー・デュ・シャトレ侯爵夫人という女性であった(なお、仏訳書の出版は侯爵夫人の没後一〇年目になる)。

彼女は一七〇六年、ルイ一四世の儀典長をつとめるブルトゥイユ男爵の娘として生まれた。エミリーの家系は後に従兄弟がルイ一五世の、甥がルイ一六世の大臣に就任し、彼女の長男が駐英フランス大使をつとめるという名門である（長男はフランス革命最中の一七九三年、断頭台に送られることになるが）。

少女時代から、エミリーは両親が催すサロンに顔を出し、文人や学者との会話を楽しんでいたというから――会話の相手にはヴォルテールやフォントネルもいた――、相当に知的早熟で才気煥発な女性だったのであろう。

後年、ヴォルテールは『回想録』の中で、侯爵夫人のことを「フランスの女性のうち、あらゆる科学に対して最も豊かな天分を備えている婦人であった」と賛美し、「彼女の主要な興味は数学と形而上学に向けられていた」と述べ、その旺盛な向学心を称えている（福鎌忠恕訳、大修館書店）。

モーペルテュイやクレローを家庭教師にして数学を修得したエミリーは一七四一年、ライプニッツの自然哲学にもとづき、力と物体の運動を解説した『物理の学校』を著している（図1－13）。そして、その数年後、『プリンキピア』のフランス語訳にとりかかるのである。さらに彼女は単に翻訳を試みただけでなく、幾何学を主体にして書かれたニュートンの原書に微積分を用いた注釈を加えた。

翻訳業と注釈の執筆が大詰めを迎えた一七四九年夏、エミリーはリュネヴィルにあるスタニスラフの宮殿で過ごしていた。スタニスラフは前ポーランド国王で、ルイ一五世の義父に当たる。一七〇九年、王位を追われたスタニスラフはフランスに定住していたが、一七三三年、ルイ一五世の支援を受け、王位を奪還しようと動き出す。このとき、ロシア、スペインも巻き込んで起きたのがポーランド継承戦争である（王室の系図が国を越えてから み合うヨーロッパでは、この手の継承戦争は何度も生じている）。

しかし、復位は失敗に終わり、スタニスラフはリュネヴィルに隠棲していた。エミリーの夫であるシャトル侯爵もこの継承戦争に出陣していた縁で、彼女はフランス語版『プリンキピア』の仕上げをスタニスラフの宮殿で行ったのである。

図1-13　エミリー・デュ・シャトレ『物理の学校』の扉

そして、その年の九月、原稿を書き上げたエミリーは四二歳で亡くなった。遺稿はクレローの校閲を経て、一七五九年に出版される。その序文にヴォルテールは、「二つの驚異が起きた。ひとつは、ニュートンが『プリンキピア』を著したことであり、もうひとつは、一人の女性がそれを翻訳し、注釈を加えたことである」と記している。

すでに登場したモーペルテュイやクレローを先導役としてフランスに移入されたニュートン力学は、その後、ダランベール、ラグランジュ、ラプラス、ルジャンドルなどの手を経て、解析力学（微積分法で記述される力学）という応用範囲の広い、洗練された体系へと発展していく。こうした流れの中で、一七五九年に刊行されたシャトレ侯爵夫人の作品は、一八世紀のフランス科学に咲いた〝一輪の花〟であった。

そして、時代はルイ一六世の即位まで一五年、フランス革命まで三〇年に迫っていた。

第2章　フランス革命と化学革命
——なぜ諸科学は動乱期に基礎づけられたか

フランス革命とその後につづくナポレオン時代を挟んだ一八世紀後半から一九世紀前半にかけ、国内は混乱し、対外戦争を繰り広げながらも、不思議なことにこの期間、フランスは間違いなく世界の科学の中心にあった。落ち着いた雰囲気のもと、静かに研究に没頭できる環境とはおよそほど遠い世の中で、軍事とはかかわりのない純粋に科学を牽引する業績が次々とあげられたことは、世界史の中に起きた〝奇跡〟のようにも見える。社会の体制、構造を根底から変えようとした人々のエネルギーが、まるで科学の分野にも飛び火したかのようである。

そこで、第2章では、革命とナポレオン時代に並行して進むフランス科学の繁栄を、力学の数理化による発展と化学が近代科学としての要件を整えていく過程を中心にたどってみようと思う。

ダランベールに宛てたラプラスの手紙

シャトレ侯爵夫人が『プリンキピア』のフランス語訳と注釈の原稿を遺して亡くなった一七四九年、ノルマンディ地方の寒村ボーモンの貧しい農家に一人の男の子が生まれた。後に、ナポレオンが第一統領となったとき伯爵に、またルイ一八世の王政復古期には侯爵に叙せられることになる大数学者ラプラスである（なお、人名辞典や伝記には貧農の出と記されているが、ラプラスの出自と少年期の詳しいことは、これほどの偉人でありながら、よくわかっていない。一説によると、功成り名を遂げた後、本人が自分の血筋に触れたがらなかったからであったという)。

幼いころから神童の誉れが高かったラプラスは篤志家の援助により学校教育を受け、カーン大学に在学中、数学の道を志すようになったと伝えられている。そして、一七六八年、恩師が認《したた》めてくれた推薦状を手に、笈《きゅう》を負って都に上るのである。その目的は、当時フランス科学界の重鎮となっていたダランベールの門を叩くことであった。

ついにその日が訪れたが、ダランベールは連日、多くの来訪者に見舞われており、約束もなく突然やってきた見ず知らずの若者のために面会時間を割《さ》く余裕はとてもなかった。ラプラスは召使いに体《てい》よく追い返されてしまう。

しかし、それでもラプラスは諦めなかった。パリの片隅にとった安宿で机に向かい、面会できたら聞いてもらうつもりであった力学の原理に関する自説を手紙に綴り、ダランベールのもとに送ったのである。

ここで、ラプラスの運命が果たしてどうなったのかが気になるところであるが、彼がどうしても会いたかったダランベールについて少し触れておこう。

ダランベールは今日、ディドロと協力して『百科全書』を編集した啓蒙思想家としての知名度が高いが、数学、力学の分野でもすぐれた多くの業績を残している。一七四三年に著した『動力学論』では彼の名前が冠されることになる原理を導入し、ニュートンの運動法則を剛体にまで拡張している。剛体とは力を加えても、その変形が小さく、無視できる形のある物体のことである。

ニュートンの運動法則は主として質点を扱う理論である。質点とは質量は有するが、その形や大きさといった属性は無視できる物体を指す。リンゴも月も惑星も、その運動を計算するときは、形や大きさを考慮せず点とみなしても不都合は生じないからである。たとえば、ケプラーの法則を導き出す際、太陽もその周りを公転する惑星も質点（それぞれの中心に質量を集中させた点）とみなして簡素化できることを、ニュートンは『プリンキピア』の中で論じている。

しかし、現実の物体には形も大きさもあるので、いつもこううまくいくとは限らない。つまり、剛体として扱わなければならない場合も生じてくる。ダランベールはニュートン力学の守備範囲を広げる基礎を築いたのである。また、『百科全書』では序論と数学の項目を執筆している。

さて、話をラプラスに戻すと、手紙に綴られた内容の秀逸さに感心したダランベールは、ラプラスをパリの陸軍士官学校の数学教官に推薦した。そして一七九三年、二四歳でラプラスは科学アカデミーの会員に推挙されている。一通の手紙がノルマンディの片田舎から出てきた若者の人生と科学の歴史を大きく変えることになった。

このように、科学研究に大志を抱いた若者が勇を鼓《こ》して大家《たいか》に送った手紙が、歴史のドラマをつくったという例は他にも散見される。

一八一二年、ロンドンで製本職人として働きながら独学で科学への関心を深めていたファラデーは、王立研究所で市民向けに行われた花形教授デイヴィーの電気分解の演示実験《デモンストレーション》を見て、科学者になりたいという情熱を抑えきれなくなる。そこで、ファラデーはデイヴィーの実験を清書してきれいに製本した上で、自分の思いの丈《たけ》を綴った手紙を添えてデイヴィーに送るのである。これがきっかけとなり、ファラデーはめでたく王立研究所の助手に採用され、後に電磁誘導や電気分解の法則、気体の液化の発見などを成し遂げる大科学者へ向けた一歩を踏み出すのである。

もうひとつ紹介しよう。一九二四年、インドの若い物理学徒だったボースは量子力学に関する論文「プランクの放射法則と光量子仮説」をイギリスの科学誌『フィロソフィカル・マガジン』に投稿したものの、採用されなかった。内容に十分自信をもっていたボースは諦めきれず、論文をドイツの雑誌に掲載してもらえないかと懇願する手紙をつけて、あのアインシュタインに送ったのである。幸いにも論文はアインシュタインに高く評価され、希望どおり『ツァイトシュリフト・フュア・フィジーク』誌に発表された。そしてボースの論文は量子統計という新しい分野を切り拓くことになる（この話は拙論「科学の歴史を変えた一通の手紙――ボースとアインシュタイン」『科学』二〇一五年八月号、岩波書店で詳しく論じたことがある）。

というわけで、ラプラスにしてもファラデーにしてもボースにしても、臆することなく行動した彼らの心意気に拍手を贈りたくなるが、一面識もない見ず知らずの若者から送られてきた手紙をうっちゃることなく、きちんと読み、その思いに誠実に応えたダランベール、デイヴィー、アインシュタインにも頭が下がる。大家《たいか》たちの対応しだいでは、手紙を書いた三人の存在は歴史の闇の中に消えていたかもしれないからである。

さて、ラプラスは科学アカデミー会員となった一七七三年から、国王がルイ一六世に変わり、フランス革命が起きる一七八九年までに、主要な業績となる天体力学、積分計算、確率論などの分野でめざましい成果をあげ、それらを後に大著にまとめている。

なお、ナポレオンは一七八四年、一五歳でパリの陸軍士官学校に入学、砲兵術を学び、卒業した翌年に砲兵連隊に配属されるが、士官学校を受験した際、口頭試問を担当したのがラプラスと伝えられている。

“力学神授説”を打ち砕いたラプラス

フランス革命前に成し遂げられたラプラスの業績の中でもっとも注目すべきは、ナポレオンに出会ったとされる一七八四年に成し遂げた「太陽系の安定性の証明」である。

それにしてもである。一七八四年といえば革命まで後五年——もちろん、この時点ではそうした事態が起きることは誰も知らなかったわけではあるが——、ルイ一四世が築いた絶対王政の威光はすでに過去のものとなっていた。

一七七八年、フランスはイギリスに対抗し独立戦争に立ち上がったアメリカの植民地側を支持して参戦、一七八三年のパリ条約でアメリカ合衆国の成立に助力した。そして、ミシシッピ川以東をアメリカに譲渡している。それはそれでルイ一六世時代のひとつの功績といえようが、戦費捻出で国家財政の悪化はさらに深刻さを増していた。

こうして国家の行く末が見通せず、ルイ王朝自体がいつまで安泰なのかと危惧される政情の中で、ラプラスはよりにもよって太陽系が安定に存続するか否かに思いを馳せていた。関心事が気宇壮大であることは言を俟《ま》たないが、同時に時代状況を考えると、あまりの浮世離れぶりには感嘆させられる。

ということを頭に入れて、ラプラスの研究を見てみよう。

一七世紀の初め、ケプラーが惑星は太陽を焦点とする楕円軌道上を一定の周期で公転することを発見した（その成果は『新天文学』［一六〇九年］と『世界の調和』［一六一九年］にまとめられた）。ケプラーが発見した法則を力学を用いて証明したのは、第1章で述べたニュートンの『プリンキピア』になる。

ところが、一七世紀末、彗星に名前を冠することになるハレーが遡って過去の観測記録を調べたところ、一世紀ほどの間にわずかずつではあるが、木星の軌道が徐々に小さく（それにつれて周期は短く）、逆に、土星の軌道は徐々に大きく（周期は長く）なっていることに気がついた。そして、こうした傾向は一八世紀の後半においてもつづいていた。このまま事態が進行すると、いつかは木星は太陽に吸い込まれ、一方、土星は太陽からはるか彼方へ遠ざかってしまう。つまり太陽系は――ルイ王朝下の旧体制《アンシャン・レジーム》のように――崩壊の危機を迎えることになる。と同時に、それはニュートン力学の危機でもあり、重力の法則には適用限界があることになってしまう。

ニュートンは『プリンキピア』の中で、「太陽という壮麗な体系は、英知と力にみちた神によって創造された」と述べているが、そうだとすると、木星と土星を正常な軌道に戻すには、神にお出ましいただかなくてはならなくなる。しかしこれでは、「王権神授説」ならぬ〝力学神授説〟――もちろん歴史学にこんな言葉はないのだが――になってしまう。

これに対し、神の支配と威光に頼らずとも、力学だけで問題を解決できることを示したのがラプラスであった。

ニュートンはケプラーの法則を証明するとき、惑星が受ける作用は太陽からの強い重力だけを想定して、計算を実行している。おおむねこれで事足りるのであるが、惑星はそれ以外にも、太陽の影響に比べるときわめて微弱ではあるものの、他の惑星からの引力も受けている。この効果が永い間に少しずつ累積されてくると、惑星の軌道がケプラーの法則から徐々にずれてくる。

ところが、注目する惑星が太陽に加えて、もうひとつ別の惑星からの重力を受けるという場合、つまり対象となる天体が三個（太陽と二個の惑星）になると――たったひとつ増えただけなのであるが――、とたんに問題はやっかいになる。というよりも、一般的に互いに力を作用し合う天体が三個以上になると（これを多体問題という）、数学的に正確な解を求めることはできない。

さあ困ったという話になるが、天才ラプラスは「摂動論《せつどうろん》」という巧妙な近似解法を思いつき、この超難問を克服したのである。

太陽に比べると惑星の質量は桁違いに小さい（一番重い木星でも質量は太陽の約一〇〇〇分の一、土星はその約三割ほど。それ以外の惑星は無視し得るくらい小さい）。そこで、ラプラスは木星の運動を考えるとき、太陽の重力に土星の重力を補正項として加え（この補正項を摂動という)、ケプラーの法則からのずれを求め、さらに高次の補正項を付加して逐次ずれを小さくしていくという近似計算法を確立した。

その結果、木星と土星の間には相互に及ぼし合う重力が摂動として働くため、この二つの惑星の軌道は九〇〇年余りの周期で平均値(ケプラーの法則が示す軌道のサイズ)の周りを変動するだけであり、太陽系が崩壊する心配はないことをラプラスは力学的に証明したのである。

ナポレオンが第一統領の地位に就き、フランス革命が終結する一七九九年、ラプラスは『天体力学』の第一巻と第二巻を出版している(以下、一八〇二年に第三巻、一八〇五年に第四巻とつづき、一八二五年の第五巻をもって完結する)。その第一巻の序文に、大著を物するに至った動機がこう語られている。

前世紀の末に、ニュートンは万有引力の発見を公表した。この時から、数学者たちはにわかに世界体系のあらゆる現象が、この自然の大法則に帰着するものであり、また天文学の理論や運動表に驚くべき精確さを与えるものであるという成果も思い知らされた。そこでわたしは、この見解の下に、各個ばらばらに論じられているこの種の理論研究をとりまとめ、「天体力学」を組織する一連の大著作を計画したのである。

このような壮大な構想のもとに集大成された大著の中に太陽系の安定性の証明も収められているが、その成果の大きさをラプラスは次のように表現している。

（『天文学史の試み』広瀬秀雄、誠文堂新光社）

惑星運動にあらわれる不等（軌道の攪乱《かくらん》）、特に周期が九〇〇年以上に達する木星と土星に関するものを説明した。この不等は、最初はその法則も原因も不明のまま、長い間、重力理論では説明され得ないものとされていた。しかし、研究の結果、引力で説明できることがわかったので、今ではこの不等は、引力理論の正しいことを示す最も強力な証明のひとつとされている。

（広瀬秀雄、前掲書）

こうしてラプラスは〝力学神授説〟を否定し、天体の運動は力学だけで説明可能なことを示したのである。それは古代、中世そして近代まで神が創造し、支配する世界と信じられてきた宇宙から、神にお引き取りを願う宣告でもあった。

なお、この話には後日談がある。それは一八四六年の海王星の発見である。一七八一年、ハーシェルによって発見された天王星の軌道は、その後の観測から、計算で求められるものとわずかにずれることが指摘されていた。その原因は天王星の外側の軌道を回る未知の第八惑星による摂動ではないかと予想された。

この問題に独立に取り組んだのが、フランスのルヴェリエとイギリスのアダムズという二人の若い天文学者である。彼らはそれぞれ、ラプラスの摂動論に従って、観測と従来の計算との食い違いを埋める惑星の軌道要素（楕円軌道の長径、近日点、公転周期など）を割り出した。そしてその後、ドイツのガレが二人が示した位置に海王星を捉えたのだ。

一七五八年、ハレーの予知どおり彗星が回帰してきた話を第1章で述べたが、ラプラスの理論は未発見の惑星の存在を教えるという行為を通し、力学のさらなる予知能力の高さを人々に強く印象づけることとなった。

ここに至って、ニュートン力学は完成の域に達したのである。

ナポレオン時代のラプラス

ところで一七九九年、ラプラスの『天体力学』第一巻、第二巻が刊行されてから、一八二五年に全五巻が完結するまでの四半世紀、革命は終結したものの、フランスは引きつづき対外戦争と国内の内紛に明け暮れることになる。ラプラスの大著の出版と並行しながらフランスの歴史を追ってみると、概略、以下のようになる。

図2-1　ダヴィッド画「ナポレオンの載冠式」(一八〇八年、ルーブル美術館)

第三巻が世に問われた一八〇二年、ナポレオンはイギリスの主導で結成されていた第二回対仏大同盟の加盟国オーストリアを破り、イギリスと和約、大同盟を解消させている。そして、一八〇四年、フランス画壇の巨匠ダヴィッドの名画で知られるように、パリのノートルダム大聖堂で戴冠式を行い、ナポレオン一世として即位する。ダヴィッドの絵には、ローマ教皇の前で皇后となるジョゼフィーヌに冠を被せるナポレオンの姿が描かれている。

また、コルシカ島の下級貴族の家系に生まれながら皇帝になったナポレオンは、法のもとの平等をうたった「ナポレオン法典」を制定し、それまでの身分、出自にとらわれずに有能な人材の登用を推し進めた。その一環として、優れた業績をあげた人々を貴族に叙している。ラプラスが伯爵となったのも、そうした政策のおかげであった。

さて、せっかくイギリスとの和約がなったのも束の間、一八〇五年、三回目となる対仏大同盟が組まれ、フランスは諸国と戦火を交えることとなる（こういう一連の流れを見ていると、つくづく人間は歴史に学ばない生き物だと思う）。この年、イギリス本土の上陸を企てたナポレオンは、ネルソン提督率いるイギリス海軍にトラファルガーの海戦で敗北したものの、アウステルリッツの戦いではオーストリアとロシアの連合軍を破り、大陸の領土を拡大させている。『天体力学』第四巻が出版されるのは、こうしてフランスが対仏大同盟に対抗して戦争に追われた一八〇五年のことである。

年が変わった翌一八〇六年、ナポレオンはベルリンで大陸諸国にイギリスとの通商を禁止する勅令（大陸封鎖令）を発した。さらに〇七年にはその勅令を強化している（ミラノ勅令）。フランスとの戦争が絶えないイギリスを追い詰め、大陸におけるフランスの販路拡張をもくろんだためである。

しかし、これがやがて裏目に出る。大陸封鎖により自国経済への打撃が大きくなったロシアは一八一二年、それを打開するため、イギリスとの交易を再開する。ただちにナポレオンはロシア遠征に乗り出すが、〝冬将軍〟という寒さの厳しい気候にも阻まれ、敗北を喫した。翌一三年、イギリスへの輸出ができず不満が高まっていたプロイセンにロシア、オーストリア、スウェーデンが加わった連合軍を敵に回した「諸国民戦争」（ライプチヒの戦い）でも敗れ、一四年、ついにナポレオンは退位に追い込まれる。そして、エルバ島（地中海のイタリア半島とナポレオンの生地コルシカ島の間にある小島）に流刑の身となった。

ところで、諸国民戦争に敗れた直後のナポレオンをパリの街で偶然目撃したイギリスの科学者がいる。さきほどダランベールに送ったラプラスの手紙のところで触れたファラデーである。

一八一三年、王立研究所の助手に採用されたファラデーはその年の一〇月、デイヴィー教授のお伴をして大陸旅行に出発する。最初の目的地はパリである。このとき、テュイルリー公園の前でナポレオンの馬車に遭遇したファラデーは、日記にこう書きとめている。

皇帝は馬車の一隅に乗っているが、厳《いかめ》しい盛装のために身体もよく見えないし、王冠から垂れている大きな羽飾りのために顔付きもよくは判らない。その上距離も遠いために表情も窺《うかが》われなかったが、色が浅黒く、大分ふとっていること位がわかった。

馬車も実に豪奢《ごうしゃ》なもので、一四人の家来がその上の各部分に立っていた。そのぐるりは、護衛の者で一杯に取りかこんでいる。皇后や廷臣などはそれぞれ別の馬車に乗

(『化学史談6』山岡望、内田老鶴圃新社)ってあとにつづいていた。

さて、一八一四年、ナポレオンが退位し、エルバ島に配流《はいる》となった後、ルイ一八世(革命で処刑された国王ルイ一六世の弟)が即位する。

この年、ラプラスは彼の代表作のひとつである『確率の哲学的試論』を発表している。これは書名のとおり確率論に関する書物なのであるが、随所に天体力学の成果について触れられている。それだけ自分の業績に自信があったのであろう。特に序論で強調された力学による決定論のくだりは有名である(同書は内井惣七訳で岩波文庫に収められている)。

ラプラスはこう語っている。自然を動かしているすべての力と自然を構成しているすべての存在物の各々の状況を知り、それらの情報を分析することができれば、力学の方程式を解くことにより、森羅万象の過去と未来を知り尽くすことができる、と。ただし、人間の知性はまだそのレベルからはるか遠いところにあるので、現段階では確率論に頼るしかないと書いている。

原理的には、という但し書きをつけた話としても、いまから見れば力学に対する過信を通り越し、幻想、妄信としかいえないような自然観であるが、ラプラスの『試論』はその後一九世紀の思想に大きな影響を及ぼすこととなる。「余の辞書に〝不可能〟の文字はない」――と本当にナポレオンが語ったとすれば、これも己の力を過信した幻想であるが――という有名な台詞を想起させるような考えに、ラプラスは達したのである。

それでも、不可能の文字はないと信じたのか、流刑の翌一五年、ナポレオンはエルバ島を脱出、パリに戻りルイ一八世を逃亡させ、皇帝に返り咲いた。もう一度、ファラデーの日記を見るとこうある。

ボナパルト（注：ナポレオン）が脱出してまた自由になったというニュースを聞いた。私は政治家ではないから別に心配しない。しかし、ヨーロッパの形勢に大きな影響を与えるだろう。（山岡望、前掲書）

ファラデーが予想したとおり、ナポレオンはワーテルローでウェリントン率いるイギリス、オランダ、プロイセンの連合軍に敗れ、わずか「百日天下」で再度、帝位を追われた。そして今度はフランスから遠く離れた南大西洋のセントヘレナ島へ送られ、六年後の一八二一年、その地で死去している。遺体がパリに帰ってくるのは、一八四〇年のことだった。

ナポレオンの百日天下が終わるとルイ一八世が復位するが、一八一七年、ラプラスは再度の王政復古のもと、侯爵に叙せられている。一八世紀末から一九世紀初めにかけ波瀾つづきの世の中にありながら、純粋科学の大著を書きつづけ、ナポレオンとルイ一八世の両方から貴族に列せられるという栄に浴した大数学者は一八一三年、パリで七七年の生涯を閉じた。

ラグランジュの『解析力学』

さて、ナポレオン時代の終焉まで筆が先に進んでしまったが、ここでいったん、革命前のフランスに話を戻すことにしよう。

一八世紀科学のひとつの特徴として、力学という物理学の分野と解析学(微積分法)という数学の分野が車の両輪の如く連携しながら、相乗効果を起こすようにして発展してきたことがあげられる。換言すれば、力学は解析学という有用な道具を手に入れ、一方、解析学はその成果を適用するのにふさわしい力学という格好の対象に出会ったのである(ラプラスの天体力学はその好例といえる)。

こうした両者の融合を象徴する著作が、フランス革命の前年(一七八八年)、パリで出版されたラグランジュの『解析力学』である(図2-2)。ニュートンの『プリンキピア』刊行から一〇一年後のこととなる。力学と解析学の融合について、ラグランジュは『解析力学』の序文の中で、次のように語っている。

私が目的としたのは、力学の理論とそれに関連する諸問題の解法とを一般的な公式に帰着させ、その公式を繰り広げるだけで、問題の解決に必要なすべての方程式が与えられるようにすることである。（中略）

解析学を愛するすべての人々は、力学が解析学の新しい分野となっていることを喜んで納得するであろうし、このやり方で私がその応用分野を拡大したことに感謝するであろう。

（『力学はいかに創られたか』ア・グリゴリヤン著、小林茂樹・今井博訳、東京図書）

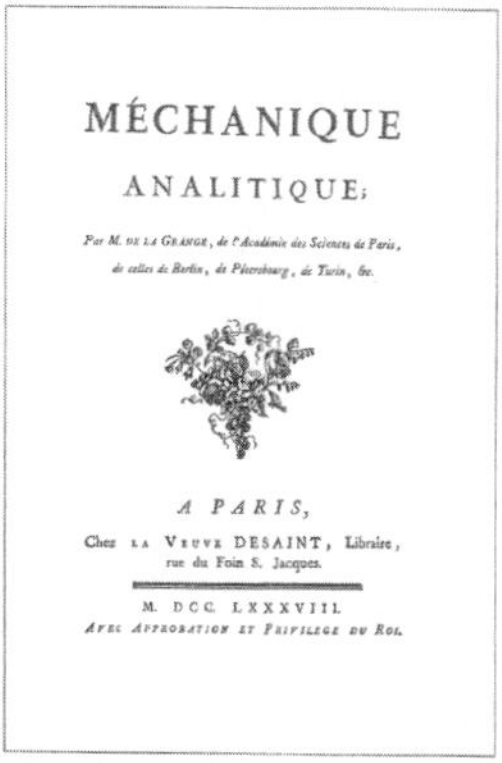
MÉCHANIQUE
ANALITIQUE;
Par M. DE LA GRANGE, de l'Académie des Sciences de Paris, de celles de Berlin, de Pétersbourg, de Turin, &c.
A PARIS,
Chez LA VEUVE DESAINT, Libraire, rue du Foin S. Jacques.
M. DCC. LXXXVIII.
AVEC APPROBATION ET PRIVILEGE DU ROI.

図2-2　ラグランジュ『解析力学』

引用文の内容は少し難しいが、要するにラグランジュは、『プリンキピア』ではニュートンの天才性と鋭い直観にもとづいて、主として幾何学的に解かれていた力学の問題を、解析学を導入し、微分方程式に置き換えて計算できるようにしたと言っているのである。こうすれば、ニュートンのような大天才でなくとも、解析学の知識さえあれば微分方程式の計算を手順どおり実行することにより、誰でも力学の問題を解くことができるようになる。また、力学の守備範囲もそれに応じて広がるというわけである。

このようにして、エレガントで汎用性の高い体裁を整えた力学はその後、一九世紀に入ると他の分野の発展にも大きな影響を及ぼすようになる。光学、熱学、流体力学、電磁気学なども力学を範として、それぞれの基本法則を微分方程式で表し、それを用いて個々の問題を解いていくというスタイルが定着していくのである。

微分方程式の美学

というわけで、微分方程式の研究はフランス革命を挟む一八世紀後半から一九世紀にかけて、フランスの数学者を中心に発展していった。

今日であれば、スーパーコンピュータを駆使して膨大な数値計算やシミュレーションを行い、問題を解くことも可能であろうが、当時はそんな便利な道具などない時代。そこで、数理的な演算によって微分方程式を解く研究が進んだのである。そして、そのどれもが美しい。

一九世紀のイギリスの哲学者ハミルトンはラグランジュの『解析力学』を、「科学における詩のようだ」と評したというが（『18世紀の数学』小堀憲、共立出版）、私もはるか昔の学生時代を振り返ると、フランス人の名前が冠せられた微分方程式、関数、演算子、多項式などを勉強しながら、その優美さにうっとりした思い出がある。特に、フランス革命から一世紀以上を経て確立された量子力学の講義を受けたとき、そこでも解析力学が大きな威力を発揮していることを知り、驚かされたものである。

そういえば、物理学者の寺田寅彦が随筆「科学者と芸術家」（一九一六年）の中で、こんなことを書いている。

世間には科学者に一種の美的享楽がある事を知らぬ人が多いようである。しかし科学者には科学者以外の味わう事のできぬような美的生活がある事は事実である。たとえば古来の数学者が建設した幾多の数理的の系統は、その整合の美においておそらく、あらゆる人間の製作物中の最も壮麗なものであろう。

（『寺田寅彦随筆集』第一巻、岩波文庫）

寺田がいうように、一般に数学という言語様式には独特の形式美が備わっていると思うが、それを〝鑑賞〟する場合、芸術作品を眺めるときとは、だいぶ趣きが異なってくる。

たとえば、ダヴィッドの名画「ナポレオンとジョゼフィーヌの戴冠式」（図2－1）や、白馬にまたがり赤いマントをひるがえした勇壮な「サン＝ベルナール峠を越えるナポレオン」を前にしたとき、特別絵画やフランスの歴史の知識がなくとも、多くの人はその美しさに引き込まれ、迫力に圧倒される。あるいは、ルイ一四世の時代に建設されたバロック建築の代表作、ヴェルサイユ宮殿の広間や庭園に足を踏み入れれば、その豪壮かつ華麗な美しさには、誰もが息を呑《の》む。

このように、芸術作品は人間の感性にダイレクトに訴えるのに対し、数学に込められた美しさを〝鑑賞〟できるようになるには、それなりの学習経験と知識が必要になる。ではあるが、そうした前提条件さえ満たせば、芸術と同様、数学もまた、実に奥の深い美の表現手法であることが感得できる。

それにしても、動乱の時代にありながら、俗世とは無縁としか思われぬ純粋数学を芸術の域に昇華させた、この時代の数学者たちの知的好奇心とエネルギーには驚嘆させられる。これもまた、フランス革命の産物であろう。

フランス革命の一〇年

ラグランジュが『解析力学』を出版した翌一七八九年の七月一四日、武装蜂起したパリの民衆によるバスティーユ牢獄襲撃を機に、一〇年に及ぶフランス革命の火の手があがった。ここはかつて政治犯を投獄する建物として使われていたことから、絶対王政の象徴とみなされ、攻撃目標とされたのである。この騒乱は瞬く間に全土に波及、社会の体制に変革を迫るうねりは広がっていった。

革命前の社会体制を「アンシャン・レジーム」と呼ぶが、その状況を端的に表す、世界史の教科書などでお馴染みの風刺画が知られている。粗末な服を着て、農具を杖のように突きながら前屈《かが》みになった農夫の背中に、きらびやかな衣装を身につけた聖職者と貴族とおぼしき人物が跨《また》がっている絵である。下で苦しそうな表情をしている農夫と対照的に、上にのっかっている二人は満足そうな顔をして微笑んでいる。

中世以降、長いこと、フランスは国王の下に第一身分（聖職者）、第二身分（貴族）、第三身分（平民）という厳然と区分けされた身分制度がほぼ固定化されていた。したがって、社会構造の流動性は乏しく、出自に縛られた地位が代々つづくという状況にあった。しかも、免税権を与えられ、領主として土地を所有するなど、さまざまな特権を享受していた第一・第二身分は全人口のわずか二パーセントほどであったというから、風刺画が物語るように、なんともいびつな身分制度がよくもこれだけ長く保持されてきたものだ。

民衆によるバスティーユ襲撃の引き金となった出来事は、ルイ一六世が改革派として知られた財務総監ネッケルを罷免《ひめん》したことにあると歴史書には記されている。確かに直接の原因はそうだったのであろうが、国家財政が悪化の一途をたどる中、各種産業の低迷に加え、一七八八年には全国的な凶作に見舞われたとなれば、特権がごく一部の階層に極端に集中する身分制社会がそういつまでも持続するわけもなかろう。地殻の中にたまりにたまった民衆の不満というマグマは一七八九年七月一四日、ついに一気に噴き出したのである。

早くも八月には、第三身分を中心に成立した立憲国民議会が封建制にもとづく特権の廃止を宣言し、つづいて人権宣言も採択された。こうして、身分制社会を打破し、近代化を推し進めようとする動きが加速していくのである。そして、一〇月五日、パリの民衆が大挙してヴェルサイユ宮殿に押し寄せ、国王一家は彼らの叫びを聞き入れ、パリのテュイルリー宮殿への転居を余儀なくされた。

その後、立憲国民議会は立憲君主主義体制の確立をめざして、憲法制定の準備に入り、一七九一年九月、ついにそれを実現させる。一方、ルイ一六世にしてみれば、改革が進むにつれ、国王の権限がどんどん縮小されていくわけであるから、不満と苛立ちは募るばかりとなる。

そうした状況の中、憲法が制定される三か月前、国王一家が国外逃亡を企てるという異常事態が起きた。国王は当時、オーストリア領であったベルギーへ脱出し、そこで王党派の軍と手を組み、王妃マリー・アントワネットの実家であるオーストリアのハプスブルク家の援助も得て、議会を制圧する計画であった。しかし、これは失敗に終わる。

国王一家は深夜、テュイルリー宮殿を密かに後にするが、逃亡に使用されたのは六頭立ての豪華な大型馬車で、そこには食糧に加えワイン、着替えの衣装など大量の荷物が積み込まれていた。ただでさえ目立つ馬車にこんなにも余計な物をのせたら、移動に時間を要し、つかまる危険性は高くなる。パリからベルギー国境までは馬車で一日ほどの行程であったというから、一日くらい、ワインや御馳走、着替えくらい我慢できなかったのかといいたくなる。しかし、国王や王妃にとってはこの期におよんでも、それまでの生活スタイルを捨てることはできず、〝大名旅行気分〟を抜けきれなかったという（『物語 フランス革命』安達正勝、中公新書）。

案の定、翌日、国境まで四〇キロメートルと迫ったヴァレンヌの地で身柄を拘束され、パリに連れ戻された。この事件を契機に、国王は国民の信頼を失うことになる。

それでも、前述したように、憲法が制定され、ともかくも立憲君主制の体裁だけは整った。それにともない、議会は解散、選挙を経て、新たに立法議会が召集された。

しかし、体裁は整っても、国王に対する国民の信頼が失墜したいま、立憲君主制を敷いて政治を進めることは、すでに困難な状態に陥っていた。そうした政情の中、一七九二年四月、フランスは革命に反対するオーストリアに宣戦布告、オーストリアとプロイセンの連合軍と戦端を開く。

当初、強国を相手にフランス軍は敗戦がつづくが、苦境に陥った背景には国王とその支持派が反革命を唱える外国と密通、連携しているためとみなされ、国民の革命意識はさらに高まった。八月には、武装蜂起した民衆がテュイルリー宮殿を襲撃、立法議会は王権の停止を宣言し、国王一家は幽閉の身となる。そして、九月には戦局が好転、フランス軍はヴァルミーでプロイセン軍を破るのである。と同時に、立法議会は解散し、一〇月には新しい国会となる国民公会が召集された。召集されるとすぐ、国民公会は王政の廃止を決議し、ここにフランスは共和政を敷くこととなる。

その後、革命の流れはさらに激しさを増し、国民公会は前国王を、反革命の動きにより国民を裏切ったかどで裁判にかける。といっても裁判とは形だけであり、一七九三年一月、ルイ一六世は断頭台《ギロチン》で処刑された。また、その年の一〇月には、王妃マリー・アントワネットも夫と同じ運命をたどることになる。

ルイ一六世の処刑はヨーロッパ諸国に大きな衝撃をもって受け止められ、ただちにイギリスの主導でオーストリア、プロイセン、オランダ、スペインなどが加わり、第一回対仏大同盟が組まれた。ナポレオンのところで、第二回対仏大同盟（一七九九〜一八〇二年）について触れたが、革命と並行してフランスは一国で、ほぼヨーロッパ全体と戦う時代がつづくのである。

さて、国民公会では、ジャコバン派と呼ばれる改革急進派が勢力を広げ始め、一七九三年から九四年にかけ、同派の指導者であったロベスピエールのもと、独裁体制が敷かれるようになる。この期間を恐怖政治の時代というが、わずか一年余ほどの間に、粛清《しゅくせい》と称し、二三六二人もの人がギロチンの露と消えたという（『パリの断頭台』バーバラ・レヴィ、法政大学出版局）。

しかし、こうした行き過ぎた政策に対する反発と、それにともなうジャコバン派の内紛により、一七九四年七月、ロベスピエールは失脚（テルミドール九日のクーデター）。自らもギロチンで首を斬り落とされ、恐怖政治は幕を閉じた。王政を倒したフランス革命の中で、今度はその独裁体制を覆す、クーデターが起きたわけである。こうした抗争は、まるで歴史の〝入れ子構造〟のように映る。

さて、このクーデターを境に、国民公会は穏健路線に舵《かじ》をきり、一七九五年には新たな憲法を制定した上で解散し、五人の総裁が国の行政を担う総裁政府が発足する。

しかし、この体制も安定性を欠き、あまり長つづきはしなかった。一七九九年、再三述べている第二回対仏大同盟が結成されると、国内には危機感が高まり、結束して諸外国との戦争にあたれる強い指導力のある政府を望む声があがってくる。そうした状況の中、近年輝かしい戦果を収め、国民の期待を集めていた将軍ナポレオンがクーデターを起こす。そして、朝令暮改もいいことに、またもや新憲法が発布され、三人の指導者による統領政府が誕生、ナポレオンが第一統領として実権を握った。

さきほど、ラプラスの天体力学に関する研究について語ったとき、その流れを中断しないよう、そのままナポレオン時代に筆が進んでしまったため、話の順序が逆になったが、その後のナポレオンをめぐる歴史の変遷は前述したとおりである。

ギロチンの登場

ところで、フランス革命といえば、インパクトが強すぎるせいか、前節で触れたギロチンが思い浮かぶ。処刑された多くの人の中には、フランス革命が起きる一七八九年に『化学原論』を著し、錬金術を斬り捨てて化学を近代科学へと脱皮させたラヴォアジエも含まれていた。そこで、化学史の話に移る前に、国王、王妃と並んで、大化学者の首を刎《は》ねた道具について見ておこう。

革命以前、フランスで行われていた処刑方法はあまりにも残忍きわまりないものであった。たとえば一七五七年、ルイ一五世に対する暗殺未遂で逮捕されたダミアンという罪人は、「胸、腕、ふくらはぎを火挟みで灼かれ、右手は硫黄で灼かれ、傷口には沸騰した油、溶けた鉛、硫黄入りの樹脂とワックスを注がれ、そののち、四頭の馬に身体を引き裂かれ、その四肢および胴は焼却し、その灰は風で散逸させた」という（レヴィ、前載書）。まさに生きながら地獄に落とされた以上の筆舌に尽くし難い苦しみであったと思うが、処刑する側の人間の精神的苦痛も相当なものであったろう。

そこで、一七八九年には人権宣言が採択されたことも影響したのであろう、なるべく肉体的苦痛をともなわない、つまり瞬間的に処刑できる方法が模索されるようになった。そうして考案された斬首装置がギロチンである。開発にかかわったのは、ギヨタンとルイという二人の医師と死刑執行の職を代々つとめていたサンソン（シャルル＝アンリ・サンソン。彼の一族は一七世紀後半から二〇〇年余にわたり、この職を世襲した）である（装置の名前はギヨタンに由来）。その際、図面を目にしたルイ一六世は刃の形を直角三角形のように斜めにすると、首を斬りやすくなると提案したと伝えられている。このとき、国王は自分のアイデアの効果を身をもって体験するようになろうとは、夢にも思わなかったであろう。

なお、新しい処刑装置が初めて使われたのは一七九二年四月二五日のことで、首を斬り落とされた第一号は革命とは関係のない窃盗を犯したペルティエという男であった。それが反革命分子に向けられ始めるのは、その年の八月二一日からである。革命政府は断頭台を革命広場（現在のコンコルド広場）に据えてパリの〝常設劇場〟とし、旧体制の抹殺に動き出すのである（『ギロチンと恐怖の幻想』ダニエル・アラス、福武書店）。

その中の一人にラヴォアジエがいるわけであるが、革命政府はなぜ、大化学者の首まで刎ねてしまったのかを述べる前に、ラヴォアジエの化学研究について概観しておこう。

錬金術から近代科学へ

力学が天動説を否定することによって確立されたように、それから遅れることおよそ一世紀、化学は旧来の物質観（そのルーツは古代ギリシャまで遡る）にもとづく錬金術を否定することによって、近代科学としての要件を整えていったといえる。一八世紀末に起きたこの変革を「化学革命」というが、その狼煙《のろし》をあげたのが、バスティーユ襲撃の四か月前に刊行された、ラヴォアジエの『化学原論』である。

奇しくも、一七八九年はフランスを舞台に二つの革命が勃発したことになる。そして、両者は互いに関係のない独立した出来事であったにもかかわらず、化学革命を主導したラヴォアジエはその五年後、今度はフランス革命の犠牲になるという悲劇に見舞われる。これもまた、奇しくもと表現したくなるような歴史のドラマである。

ところで、古代、中世から近代に入るまで、錬金術は連綿と試みつづけられてきたわけであるが、その依拠するところは、次のようなアリストテレスの四元素説にある。万物はすべて、「火」「空気」「水」「土」という四種の元素に還元され（つまり、この四元素の組み合わせによって物質の種類が決まる）、これらは適当な化学的、熱的処理を施すことにより、相互に変換すると信じられていた。

その考えを実証するものとしてよく知られていたのが、水を入れたガラス容器を加熱し、水を沸騰、蒸発させると、容器の底に土のような残留物がたまる現象である。水という元素が土という元素に変換されたというわけである。これを敷衍《ふえん》し一般化すれば、元素を入れ換えることにより、卑金属から金をつくり出すことも可能になる。

この現象に初めて定量的な実験を施したのが、ラヴォアジエである。ここで定量的と書いた意味は、煮沸《しゃふつ》した結果生じた残留物の質量とガラス容器の質量の減少分が一致することを、ラヴォアジエは精密な秤量測定を行って明らかにしたからである。つまり、元素変換が起きて水が土になったのではなく、長時間にわたって――ラヴォアジエは約一〇〇日間、蒸留水を加熱しつづけた――煮沸されたガラス容器の内壁が少しずつ溶け出し、それが底に沈澱したにすぎなかったのである。

生じる現象を表面的に観察するのではなく、精確に質量の変化を計るという定量的な視点で、ラヴォアジエは反応を調べ、元素変換を否定する証拠を提示したといえる。この実験結果は一七七〇年、パリの王立科学アカデミーの雑誌に発表された。

さらに一七七七年、ラヴォアジエは新しい燃焼理論を提唱している。当時、燃焼とは「フロギストン」と呼ばれる可燃性の原質が物質から抜け出る現象で、その抜け殻が灰になると考えられていた。つまり、燃えやすい物質ほど、フロギストンの密度が高いことになる。逆に、金属灰（金属を空気中で加熱、燃焼させたもの。今日の用語でいえば、金属酸化物）を木炭の上で燃やすと、元の金属に戻ることが知られていた（今日の用語でいえば、還元）。この現象は、燃えやすい炭には多量のフロギストンが含まれているので、それが抜け殻となっていた金属灰に入り込む結果であると解釈されていた。

また、密閉した容器内でろうそくを燃やすと、やがて火は消えてしまうが、その原因はろうそくから抜け出たフロギストンが容器内に充満し、それ以上フロギストンが入り込む余地がなくなったためと説明されていた（これも今日の用語を使えば、酸素が消費し尽くされ、容器内には窒素だけが残ったためである）。

このように、現象論的に見れば、フロギストン説で一応の辻褄《つじつま》合わせはできるのであるが、その矛盾を突いたのが、ここでもラヴォアジエの定量的な実験であった。彼はフロギストンが抜け出た後の灰の方が元の物質より質量が増加しており、その増加分は燃焼中に消費された空気の量と一致することを明らかにした。つまり、空気のある成分が物質と結合することにより、物質の質量が減少ではなく、逆に増加したことになる。還元による金属灰の質量損失と、放出された気体の量の関係についても同様の結果が示された。

ラヴォアジエがこの実験を始めたときはまだ、燃焼に関与する気体の正体は明らかにされていなかったが、一連の実験をつづけたラヴォアジエは一七七七年、燃焼とは酸素と物質の急激な化学結合であるという結論に達し、フロギストン説を葬り去ったのである。

なお、イギリスのプリーストリーが水銀灰（酸化水銀）を加熱すると、燃焼力の非常に強い気体が発生することを発見していた。彼はこの気体に「脱フロギストン空気」という名前をつけた。フロギストンが抜け出た空気には、フロギストンが入り込む余地が十分あるので、その中では物質はよく燃えると考えたからである。実は、この脱フロギストン空気なるものこそ、酸素に他ならぬわけであったが、プリーストリーは旧来の燃焼理論にとらわれ、そうとは気がつかなかったのである。

一方、プリーストリーの実験に触発されたラヴォアジエは、いま述べた質量変化の精密な測定を通し、フロギストンという仮想原質の存在を必要としない、新しい燃焼理論を打ち立てるに至った。脱フロギストン空気を一七七九年に酸素と命名したのはラヴォアジエである。また、これによって、空気は酸素と窒素という二種類の気体からなる混合物であることが明らかにされ、四元素説の一角が崩れるのである。

一七八五年には、水の分解実験が報告されている。ラヴォアジエは十分加熱した鉄と木炭を詰めた管の中に水（水蒸気）を通すと、水の成分である酸素が鉄と化合して酸化鉄に、また、木炭と反応して二酸化炭素を発生させることにより、水から水素が分離されることを示している。

水素自体は一七六六年、イギリスのキャヴェンディッシュによって発見されていた。キャヴェンディッシュは金属に酸を作用させると、非常に燃えやすく、空気よりもはるかに軽い気体が発生することに気がついた。その軽さに注目したフランスのシャルルが一七八三年、この気体を詰めた気球をつくり、四〇キロメートル余りの距離の飛行に成功している。

ただし、キャヴェンディッシュはこの可燃性気体はフロギストンを多く含む空気だと考えていた。そして、可燃性空気と脱フロギストン空気を混ぜた容器に電気火花を飛ばすと、水滴が生じることを一七八四年に発表しているが、その解釈を下す際にもフロギストンの存在を前提にしている。ではあるが、この時点で、キャヴェンディッシュ自身はまだ、そうとは認識していなかったものの、水素と酸素が反応すると水が合成されることが示されたわけである。

つまり、いま述べた一七八五年のラヴォアジエの実験は、キャヴェンディッシュが行った水の合成とは逆のプロセス（水を水素と酸素に分解）を示したことになる。

このように、合成と分解という両方の現象から、水もアリストテレスが唱えた元素ではないことが結論づけられるに至った。こうして、錬金術の基盤であったアリストテレスの四元素説は、急速にその根拠を失っていくことになる。

ラヴォアジエの『化学原論』

さて、ラヴォアジエが一七七〇年ころから取り組んだ一連の実験成果を集大成したのが、前節の冒頭で書名をあげた『化学原論』である。化学が錬金術の残滓《ざんし》を払い落とし、近代科学へと進む礎を築いたのは、この本の中で提唱された元素の新しい定義と質量保存則によってであった。

ラヴォアジエは化学実験の目的を「化合物から構成要素を分離し、それらの化学的性質を調べること」と述べた上で、

TABLEAU DES SUBSTANCES SIMPLES.

	Noms nouveaux.	Noms anciens correſpondans.
Subſtances ſimples qui appartiennent aux trois règnes & qu'on peut regarder comme les élémens des corps.	Lumière	Lumière.
	Calorique	Chaleur. Principe de la chaleur. Fluide igné. Feu. Matière du feu & de la chaleur.
	Oxygène	Air déphlogiſtiqué. Air empiréal. Air vital. Baſe de l'air vital.
	Azote	Gaz phlogiſtiqué. Mofete. Baſe de la mofete.
	Hydrogène	Gaz inflammable. Baſe du gaz inflammable.
Subſtances ſimples non métalliques oxidables & acidifiables.	Soufre	Soufre.
	Phoſphore	Phoſphore.
	Carbone	Charbon pur.
	Radical muriatique.	Inconnu.
	Radical fluorique	Inconnu.
	Radical boracique	Inconnu.
Subſtances ſimples métalliques oxidables & acidifiables.	Antimoine	Antimoine.
	Argent	Argent.
	Arſenic	Arſenic.
	Biſmuth	Biſmuth.
	Cobolt	Cobolt.
	Cuivre	Cuivre.
	Etain	Etain.
	Fer	Fer.
	Manganèſe	Manganèſe.
	Mercure	Mercure.
	Molybdène	Molybdène.
	Nickel	Nickel.
	Or	Or.
	Platine	Platine.
	Plomb	Plomb.
	Tungſtène	Tungſtène.
	Zinc	Zinc.
Subſtances ſimples ſalifiables terreuſes.	Chaux	Terre calcaire, chaux.
	Magnéſie	Magnéſie, baſe du ſel d'Epſom.
	Baryte	Barote, terre peſante.
	Alumine	Argile, terre de l'alun, baſe de l'alun.
	Silice	Terre ſiliceuſe, terre vitrifiable.

図2-3　『化学原論』に載った元素の表

化合物の構成要素となる元素を「化学的分析によって到達し得る究極の要素で、それ以上分解できないもの」と定義した。そして、ラヴォアジエはこの定義にもとづき、当時、元素とみなされた三三種類を表にまとめている（図2－3）。

ラヴォアジエの表の中には、その後元素ではないことが判明したものも含まれてはいるが、彼が下した定義は現代に通じる考え方である。確かに鉄、銅、銀、金、水銀、鉛など、単体として知られていた物質は古代からいくつか存在する。そしてそれらも、アリストテレスの四元素説の枠組みの中で解釈されていた。しかし、四元素説は実験によって導き出された結果ではなく、身近に存在する火、空気、水、土に注目しただけの単なる思弁的な産物にすぎなかった。

これに対し、ラヴォアジエは定量的な実験を通して、元素は化学的にそれ以上分解できない究極の要素であるという結論に達したわけである。そうなれば、元素間の相互変換も否定され、錬金術の幻想は命脈を断たれることとなる。

次に、高等学校の化学の教科書でも必須項目となっている質量保存則について触れておこう。『化学原論』の中で、ラヴォアジエはさまざまな具体例をあげ、そこから帰納的に、化学反応の前と後で、反応にかかわった物質と生成された物質の質量は等しい、つまり質量は保存されるという結論を導き出している。物質の形態と性質は変化しても、物質を構成している元素に変化が生じることはなく、したがって化学反応を起こしても、質量に増減が生じることはないというわけである。精密な定量測定を化学実験に取り入れたラヴォアジエならではの成果であった。

徴税請負人の〝幸福な一日〟

ところで、実をいうと、ラヴォアジエにとって化学研究は本業ではなく、趣味、道楽の対象であった。大化学者が生業《なりわい》としていたのは、化学とはおよそ縁のない、徴税請負人という仕事であった。

第1章でルイ一四世の話をしたとき、彼のもとで財務総監をつとめ、王立科学アカデミーの創設にもかかわったコルベールという人物について触れた。そのコルベールは一六八一年、各種の間接税（塩税、煙草税、さまざまな物品に課す関税、パリへの入市税など）の徴収業務を、国家に代わって行う請負人に委託する制度を発足させた。そのシステムはこうである。

徴税請負人は毎年、政府との契約にもとづいて、あらかじめ決められた税額をひとまず納税者の肩代わりをする形で国庫に前納する（当然この職を行えるのは、十分な資金力をもったごく一部の人間に限られる）。これによって、国家は自らの手を煩わすことなく、予定した税額を確保できる。

一方、請負人には徴収実績に応じた莫大な利鞘《マージン》がころがり込むことになる。重商主義を推進した財務総監だけあって、コルベールはうまいアイデアを思いついたものだと思う。なお、この制度が発足した当初、請負人の数はフランス全土でわずか四〇人にすぎず、それだけの人数で総税収額の三分の一を代行徴収していたというから、彼らの存在がいかに大きかったかが伺える。一時期、六〇人まで増えたものの、一七八〇年には再び四〇人に制限され、極度の寡占状態にあった。

こういう制度から想像がつくように、請負人たちの徴税業務は情け容赦のない過酷なものに走りがちであった。畢竟《ひっきょう》、革命が起きると、彼らは民衆の攻撃の標的となる。ジャコバン派の革命家マラーが「恐れおののくがよい、貧しく不幸な人民の血を吸うおまえたち」と叫んだ言葉が、請負人に向けた人々の憎悪の感情をよく表している。

さて、一七六八年、ラヴォアジエは二五歳のとき、徴税請負人の地位を金で購入している。彼は父親がパリ高等法院の司法職にある裕福な家庭に生まれた。加えて、五歳のとき亡くした母親の莫大な遺産を相続していたため、若くしてすでに富豪となっていた。

それだけに、請負人の地位を手に入れる資金は十分もっていたのである。とはいえ、いかなる打算があったのか知る由もないが、民衆を敵に回す仕事を敢えて行うことにした心の裡《うち》はよくわからない。さらに、一七七一年、ラヴォアジエはやはり徴税請負人であったジャック・ポールズの娘マリー・アンヌと結婚している。これにより人民から蛇蝎《だかつ》のごとく嫌われた職業とのかかわりをいっそう深めることとなる。

図2－4は、フランス革命の前年、ダヴィッド（前述した「ナポレオンの戴冠式」や「サン＝ベルナール峠を越えるナポレオン」などの作品で知られる画家）に描かせたラヴォアジエ夫妻の肖像画である。これほどの巨匠に制作を依頼すれば、その代価は大変な金額になる。一説によると、ルイ一六世がダヴィッドの作品「ホラティウス兄弟の誓い」に支払った額の二倍近いものであったという（『ダヴィッド』ナントゥイユ解説、美術出版社）。夫妻の肖像画からも、その富豪ぶりが伝わってくる。

図2-4　ダヴィッド画「ラヴォアジエ夫妻」1788年、メトロポリタン美術館収蔵、写真提供：DeA picture Library ／ PPS通信社

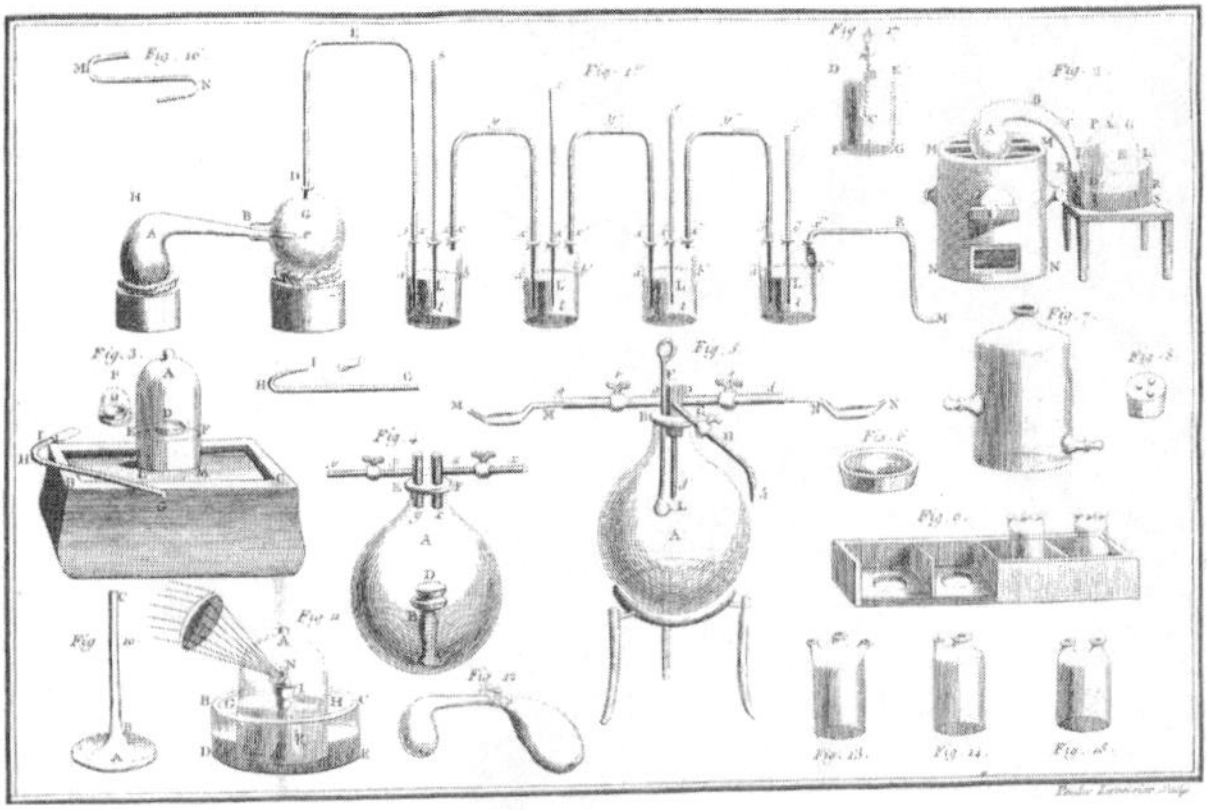

図2-5　ラヴォアジエ夫人が描いた実験装置

なお、妻マリー・アンヌは絵を描くのが趣味で、ダヴィッドにデッサンの手ほどきを受けていた（余計な話ではあるが、そのレッスン料も相当なものであったと推測される）。そこで、マリー・アンヌは夫の『化学原論』に載せるため、実験装置の詳細な図をたくさん描いている（図2－5はその一部）。肖像画には、二人が仲睦まじげに寄り添う姿が見られるが、『化学原論』にもそうした夫妻の一面が表れていた。

それにしても、多忙を極める徴税請負人の業務をこなしながら、その合間によくこれだけの研究業績をあげられたものだと驚かされる。ラヴォアジエは常にパリにとどまっていられたわけではなく、定期的に担当地域を巡回し、出先機関や煙草工場、塩倉などを視察しなければならなかった。併せて徴税請負人組合の仕事や火薬管理局の役職などもまかされていたため、化学研究のために割けるのは朝と夜の時間だけであった。

ただし、週のうち一日だけは本業に携わらず、すべての時間を実験に充て、それを〝幸福な一日〟と称していたという（『ラヴォアジエ』グリモー著、田中豊助他訳、内田老鶴圃新社）。その〝幸福な一日〟にラヴォアジエが実験に専念している姿を、妻のマリー・アンヌがスケッチしている。絵の中には、実験データを記録している彼女自身も描かれている。

なお、ラヴォアジエが化学革命を起こした背景には、精密な定量実験があったことを再三述べてきたが、それが可能になったのは天秤をはじめとする精巧な装置や器具があればこそであった。彼はそれらを実験の目的に合わせて自分で設計し、熟練した職人に製作を依頼していたのである。つまり、化学実験という道楽にはまったラヴォアジエは、誰ももっていないような高価な特注品で〝幸福な一日〟を楽しんでいた。それも莫大な財力があっての話であった。

断頭台に送られた大化学者

しかし、〝幸福な一日〟はラヴォアジェが五〇歳のとき、突然終わりを告げる。

革命が起きると一七九一年、徴税請負人制度は国民議会によって廃止された。そして、革命が尖鋭化の度合いを増し、恐怖政治と呼ばれる体制に突入していた一七九三年一一月一四日、国民公会は元徴税請負人の逮捕命令を布告、パリの修道院を改造した監獄に彼らの身柄を拘束した。その中には、ラヴォアジエと義父ポールズの姿があった。

ところで、このとき、夫妻の肖像画を制作したダヴィッドは国民公会の議員として活動していた。革命が起きると意外なことに、ルイ一六世の宮廷画家をつとめていたにもかかわらず、ダヴィッドはロベスピエールと親交を深め、さらにマラーの薦めにより、国民公会入りを果たしていたのである。そして、ルイ一六世の処刑には賛成の一票を投じている。また、ダヴィッドは公安委員会のメンバーとして、三〇〇人以上にも及ぶ容疑者の逮捕状に署名し、そのほとんどが断頭台に送られたのである（ナントゥイユ、前掲書）。

さて、元徴税請負人たちの裁判は逮捕から半年後の一七九四年五月八日に行われ、即日結審、死刑が言いわたされた。罪状は共和制と人民に対する陰謀というものであった。判決どおり、その日の夕刻、二八人の元徴税請負人が革命広場で処刑されている。

ラヴォアジエは義父の首が斬り落とされるのを見届けた後、四番目に従容《しょうよう》として断頭台の階段を上っていったという。

メートル法の制定

他にも革命が進行する中、よくぞ成し遂げられたものだと感心させられる科学の大事業に度量衡《どりょうこう》（長さと質量の単位）の統一がある。当時、ヨーロッパでは国や地域によって長さや重さの単位がばらばらであり、また、その決め方もかなりいい加減で誤差が大きかったため、科学研究だけでなく、商取引きをはじめとする実生活のさまざまな所で不便、混乱がつづいていた。

そこで、革命が起きるとすぐ、国民議会は度量衡の統一に向けて動き出した。旧体制の悪弊を斬り捨て、世の中を変えようとする意気込みの表れである。一七九一年には、そのための委員会が科学アカデミーの中に設置され、ラグランジュ、ラプラス、ラヴォアジエらが委員として名前を連ねている（ただし、科学アカデミーは間もなく廃止され、ラヴォアジエも途中で処刑されてしまうが、事業は最後までつづけられた）。

まず、長さの単位（メートル）について述べておこう。その決め方に関し、いろいろな案が検討された結果、子午線の距離の四〇〇〇万分の一を一メートルの基準とすることが決められた。といっても、実際に地球一周分を測量するのではなく、北フランスのダンケルクとスペインのバルセロナ間の距離を三角測量によって求め、そこから子午線の全長を計算で割り出すという計画である（第1章で触れたように、地球は完全な球体ではなく、わずかに回転楕円体であることは、一八世紀前半にフランスが実施した測量で知られていた）。

こうした計画のもと、一七九二年、二人の天文学者ドランブルとメシャンが測量に向け、パリを旅立った。しかし、旅立ったものの、間もなく、事業の運営母体であった科学アカデミーが廃止され、資金援助も滞りがちになる。また、行く先々でさまざまな測量に対する妨害が入り、機器が破損しても、修理や交換もままならない状態がつづく。測量の際、目印に使った布が白く、白は王家の色であったため、王党派の人間が何かを策謀しているのではと不審がられることもたびたびであったという。

これだけ困難がつづけば、途中で諦めても不思議はないが、ドランブルとメシャンは六年の歳月をかけ、一七九八年、この難事業を完遂した。その結果をもとに、一七九九年、新しい長さの基準となる白金製の「メートル原器」が作製され、ここにメートル法が制定されるに至る。

なお、このとき、時の統領政府——革命は直前に終結していた——にメートル原器を献呈する栄に浴したのは、ラプラスであった。ラプラスは献呈の式典で、度量衡統一の意義、メートルの基準選定の経緯、原器作製までの苦労を語ったのである。そして最後に、この事業を遂行するにあたり、いまは亡きラヴォアジエの功績を称える言葉を残したという（『単位の進化』高田誠二、講談社ブルーバックス）。

ここでメートル法のその後についても触れておきたい。一八七五年、国際メートル条約がパリで締結され、これに併せて、白金九〇%、イリジウム一〇%の合金製国際メートル原器が新たにつくられた。断面がH型を少し開いた形をした棒状の合金で、そこに刻まれた標線間の長さ（0℃の温度における）が一メートルと定義された（日本は一八八五年にこの条約に加盟している）。

原器の断面がこのような形をしているのは、保管中に変形がなるべく小さく抑えられるよう考慮したためである。とはいっても、人工的に製作した物は長い間には、どうしても狂いが生じてくる。そこで、一九六〇年、「クリプトン〈Kr〉86原子が放射する橙色《だいだいいろ》の光の波長の一六五万七六三・七三倍を一メートルとする」という新しい定義が採用され、メートル原器は引退となった。原子はいくらでも存在し、変形や毀損《きそん》の心配がないからである。

ただし、これにも欠点がある。観測者に対し原子が動いていると、その速度と方向に応じて、光の波長が変化してしまうのである（この現象をドップラー効果という）。つまり光の波長が一定値に収まらず、ぼやけてしまうのだ。

というわけで、一九八三年にパリで開かれた国際度量衡会議において、「光が真空中を二億九九七九万二四五八分の一秒の間に進む距離を一メートルとする」という定義に移行した。真空中の光の速度は光源や観測者の運動状態によらず、常に一定であることは、アインシュタインの特殊相対性理論（一九〇五年）によって証明されているので、光速の精密測定が可能になった今日、こうした基準が設けられるようになったのである。

フランス革命期に話を戻すと、キログラム原器もこの時代につくられている。ところが、メートルと異なり、キログラムの基準は今日でも白金とイリジウムの合金による分銅に依拠している。質量の場合は人工物からの脱却が難しかったためであるが、目下、メートルと同様、新しい定義への移行が検討されている。

エコール・ポリテクニクの創設

一七九四年七月、テルミドール九日のクーデターによりロベスピエールが失脚、恐怖政治が終わりを告げ、総裁政府が発足した流れはさきほど述べたとおりである。

この変化を機に、この年、共和国の発展を支える技術者と技術将校を養成するための教育機関「公共事業中央学校」がパリに創設され、翌九五年、「エコール・ポリテクニク」と改称された。初代校長には『解析力学』を著したラグランジュが就任、カリキュラムの策定は画法幾何学の創始者モンジュを中心に進められた。また、教授陣には上記の二人に加え、『天体力学』のラプラス、『熱の解析的理論』のフーリエ、ラヴォアジエと共著で『化学命名法』（一七八七年）を出版したベルトレ、ラヴォアジエの燃焼理論の支持者で化学命名法にも寄与したフルクロア、一七九七年に金属元素クロム（Cr）を発見するヴォークランなど、当時のフランス科学界を代表する豪華な顔ぶれがそろった。

そう考えると、ここにラヴォアジエの名前が見られないのは、なんとも惜しまれる。〝クレオパトラの鼻〟のたとえではないが、もし恐怖政治の終結がもう半年早ければ、減刑の嘆願が通り、大化学者はエコール・ポリテクニクの教壇に立っていたのではないかと思う。

さて、創設時、校舎は新築できなかったので、ブルボン宮がそれにあてられ、学校の運営費をまかなうため、ルーヴル（一七九三年に旧王宮を美術館として使用）に所蔵されていた絵画の一部が売却されている。また、拿捕《だほ》したイギリス船に積まれていたダイヤモンドを化学実験の材料に使い、実験器具の多くは病院から譲り受けたという。そして、「数学および物理学的知識を必要とする職業を無料で学ぶ、すべての青年のために」という教旨のもと、エコール・ポリテクニクは開校された（『小倉金之助著作集第一巻　数学の社会性』勁草書房）。

こうして、フランス全土から選抜試験を勝ち抜いた約四〇〇人の俊秀が入学を許可され、第一期生の教育が始まった。旧体制下のように出自、身分にとらわれることなく、理数系の能力が高ければ、誰でも学ぶことが可能となったのである。

創設時は三年制で、カリキュラムは解析学、画法幾何学（空間図形を平面上で表す数学で土木、建築、機械などの設計に必要な技法)、物理学、化学を中心に組まれていた(一七九九年に本科は二年制となり、その上に二年の各専門技術を教える学校が数か所設置されることになる。小倉金之助、前掲書)。

このように、理工系の学問を体系的に効率よく教授し、学生自らが物理学や化学の実験を行い、その方法を修得できるよう指導した教育機関はエコール・ポリテクニクが最初であった。その意味で、これはフランス革命下に成し遂げられた科学技術に関する教育革命であり、今日の大学理工系学部につながるルーツといえる。

実際、一九世紀に入ると、その影響はドイツにも及んでくる。一八二四年、弱冠二一歳でギーセン大学の化学教授に就任したリービッヒは、体系立ったカリキュラムに従って大勢の学生を同時に指導できる広い実験室を大学内につくった。それまでは、先生がごく少人数の若者に自分の仕事を手伝わせる傍ら、実験技術や知識を断片的に伝授するというスタイルが一般的であった。いってみれば、「習うより慣れろ」、あるいは「目で見て盗め」といった職人の徒弟制度に近かったといえる。これでは、多くの人間を一定期間のうちに高い水準まで教育することはかなわない。リービッヒが取り入れた教育方法はそうした旧弊を打ち破る画期的なもので、その効果は顕著に表れた。閉鎖的であった化学教育に新風が吹き込まれたのである。

ギーセン（Giessen）というドイツ語には、「注ぎ込む」という意味があるが、町の名の由来はここにヘッセン・ダルムシュタット地方の川が流れ込んでくることだという。ギーセン大学の化学教育の評判が広まるにつれ、川の水だけでなく、化学を修めようとする多くの若者が国内外からこの地に注ぎ込んでくるようになったのである（『化学史伝』山岡望、内田老鶴圃新社）。

リービッヒの改革はやがて、ゲッティンゲン、ハイデルベルク、マールブルク、ベルリン……と各大学に波及していった。さらに、ギーセン大学で学んだイギリス人化学者により、一九世紀半ばには、マンチェスター、エディンバラ、ロンドン、オックスフォードなどの大学にもドイツ流の実験室がつくられ、開かれた授業が行われるようになった。

さらに化学だけでなく物理教育においても、先生が演示実験を行うだけでなく、学生自らが実験を体験することの重要性が注目され、一八七一年、ケンブリッジ大学にイギリス初の実験物理学講座が設置されるが、その嚆矢となったのもエコール・ポリテクニクであった。

エコール・ポリテクニクの卒業生

それでは、エコール・ポリテクニクはどのような卒業生を輩出したのかを見ておこう。

フランス革命からナポレオン時代までの草創期における出身者だけに注目しても、一九世紀前半の科学史を飾った錚々《そうそう》たる人物が並んでいる。彼らの主な業績を列挙すると、以下のとおりである。

ポアンソー　剛体の回転運動に関する「ポアンソーの定理」を発見
ポアッソン　ポテンシャルに関する「ポアッソン方程式」を発見。また、弾性実験に「ポアッソン比」を導入
ナヴィエ　粘性流体の運動方程式「ナヴィエ－ストーク方程式」を発見
コーシー　複素変数関数論を創始。微分方程式の解の存在定理を証明
ポンスレ　射影幾何学を創設
コリオリ　回転座標系の運動物体に働く「コリオリの力」を提唱
ビオ　電流が磁石に及ぼす力を与える「ビオ－サヴァールの法則」を発見
マリュス　反射光が偏りを起こす現象を発見し、結晶内での光の複屈折の理論を提唱
アラゴー　水晶による偏光面の回転を発見。また、電磁気現象による「アラゴーの回転板」を発明
ゲイ-リュサック　気体反応の「ゲイ－リュサックの法則」を発見。また、ヨウ素を発

見

フレネル　光の回折現象を説明し、光の波動説を確立

デュロン　固体の比熱に関する「デュロン‐プティの法則」を発見

カルノー　熱力学における「カルノー・サイクル」を提唱

以上紹介した個々の研究業績について深く立ち入ることはしないが、いずれも今日、理工系の学生が学ぶ内容である。そう考えると——もう一度、〝クレオパトラの鼻〟のようなたとえを書くが——もしエコール・ポリテクニクが創設されなかったら、その後の科学の発展はかなり違ったものになっていただろう。

一九世紀後半から二〇世紀初めにかけて活躍したドイツの数学者クラインは第一次世界大戦の直後、「一九世紀の初めにおける、すべての科学の光は、エコール・ポリテクニクから発して、ヨーロッパにおける、科学的思考の進展を照らしたのである」と語ったという（小倉金之助、前掲書）。当時、敵国であったにもかかわらずフランスをクラインがこれほど称揚しているところにも、エコール・ポリテクニクの存在感と影響の大きさが見て取れる。

カルノーと熱力学

ところで、この学校の卒業生たちはエリートであっただけに、歴史に残る発見、発明を成し遂げる一方、その人生は政治や社会情勢の変転とも深くかかわることとなった。

図2－6はそうした人物の一人で、前節の卒業生リストの最後に名前をあげたサディ・カルノーの一七歳のときの肖像画（ルイス・レオポルド・ボイリー画）である。

図2-6　サディ・カルノー

一八〇四年、ナポレオンが皇帝になると、エコール・ポリテクニクの教育は一気に軍事色を強め、理工系の勉学と並行してハードな軍事教練が組み込まれるようになっていた。そうした学校にカルノーは一八一二年、入学資格最年少の一六歳で入学している。肖像画はその翌年、描かれたものである。エコール・ポリテクニクの黒い襟高の軍服が、端正で理知的な顔立ちの少年によく似合う。

カルノーがエコール・ポリテクニクで学び始める一八一二年は、前述したように、ナポレオンが遠征先のロシアから敗走した年である。そして翌年一三年には諸国民戦争でフランスは連合軍に敗れている。ナポレオンの勢いには急速に陰りが見え始めていた。

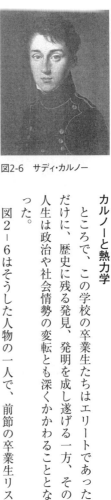

こうした厳しい状況の中、連合軍がパリに迫りくる一八一三年一二月二九日、カルノーはエコール・ポリテクニクの仲間に呼びかけ、連署で自分たちの祖国愛をナポレオンに宛てこう書き送った。

陛下、祖国はすべての守護者の力を必要としております。自己のモットーに忠実なエコール・ポリテクニクの学生は、前線にはせ参じて、フランスの救済のために身を捧げている勇敢なる人々の栄光をわかちもちたいと欲しております。敵をうちまかすのに功あったという誇りをもつ部隊は、ふたたびこの学園にもどって、科学を研究し、新たな奉仕のために備えるでありましょう。

(『カルノー・熱機関の研究』広重徹訳・解説、みすず書房)

この請願が通り、カルノーをはじめとするエコール・ポリテクニクの部隊は一八一四年三月、パリ郊外ヴァンセンヌの戦いに出陣している。しかし、もはや大勢に抗う術はなく、パリは陥落し、四月にナポレオンは退位、エルバ島に配流されたことは、すでに述べた。

カルノーは一八一六年、エコール・ポリテクニクを卒業すると少尉に任官するが、パリから遠く離れた駐屯地に配属された。彼の父ラザール・カルノーはエコール・ポリテクニクの創設に尽力した一人で、ナポレオンの治世では軍の指揮と統治にあたった将軍である。そのため、ルイ一八世による王政復古がなると、ラザールは国外追放の憂き目にあった。息子が地方に飛ばされたのも、そうした政治情勢が影響していたのであろう。

結局、カルノーは各地の部隊を転々とした後、一八二〇年、中尉の階級で軍を退役してしまう。まだ、二四歳の若さであった。そして、軍務から解放され、自由になった時間を熱機関の理論的研究に振り向けたのである。

当時、蒸気機関が主要な動力源として多方面で用いられていたが、その改良は職人の勘と経験を頼りにした試行錯誤にまかされていた。そこで、カルノーは熱機関の効率を科学的に研究し、理論化しようと試みたのである。その成果は一八二四年、『火の動力についての考察』として発表された。この中には、一九世紀後半にドイツのクラウジウスが「エントロピー」という概念を導入して定式化を成し遂げる、「熱力学第二法則」という重要な内容が予見されていた。

しかし、この業績が広く物理学界で認められるのは、カルノーの死後、十数年を経てからのことであった。一八二七年、一年だけ軍務に復帰し、その後も熱理論の研究をつづけていたカルノーは、一八三二年、コレラに罹患《りかん》して亡くなった。三六歳の若さであった。

それでも、エコール・ポリテクニク出身者が種をまいた熱力学は、いま名前をあげたクラウジウスをはじめとし、イギリスのケルヴィンやオーストリアのボルツマンらの手を経て、一九世紀物理学の主要な理論体系として確立されていくのである。

科学研究の中心の移動

ここで、カルノーが没する前後のフランスの政治情勢を整理しておくと、一八二四年、ルイ一八世が病死した後、弟のシャルル一〇世が王位を継いでいる。ところが、新国王は絶対制の復活を図ろうとするかのように反動的な政策を進めたため、国民の反感、不満を募らせることとなった。そうした中、一八三〇年の議会選挙で国王と反対の立場をとる自由主義派が多数を占めると、シャルル一〇世は議会を解散、参政権を制限するという強硬手段に打って出る。

これが引き金となり、この年七月、民衆が武装蜂起、シャルル一〇世は退位してイギリスに亡命するという「七月革命」が起きている。このとき即位したのは、ブルボン王家の支流にあたるオルレアン家のルイ＝フィリップである。ところが、一八四八年二月、またもや民衆による大々的な反政府運動が展開され、前国王と同様、ルイ＝フィリップもまた、退位と亡命に追い込まれることになる。これが「二月革命」である。

振り返ってみれば、ルイ一六世は処刑、皇帝となったナポレオンは流刑、シャルル一〇世とルイ＝フィリップは亡命という具合に、病没したルイ一八世以外の国王と皇帝は皆、哀れな末路を迎えている。二月革命の後は四年間、再び共和政が敷かれるが、一八五一年、ナポレオンの甥《おい》で大統領の地位にあったルイ＝ナポレオンがクーデターを起こし、翌五二年、国民投票により皇帝ナポレオン三世として即位する。

というわけで、一九世紀に入ってからのフランスは半世紀の間に、革命とクーデターが何回も繰り返され、それにともない、共和政、帝政、王政と政治体制も猫の目のように目まぐるしく変化した。

ところで、『コンサイス科学年表』（湯浅光朝編著、三省堂）に、「科学的繁栄の中心の移動」という興味深いデータがまとめられている。それは『科学技術史年表』（平凡社）にもとづき、年代に沿って、国別に科学的業績の数（年表記載項目数）を集計したものである。そして、一つの国で全世界の業績数の二五％以上を占める期間を科学的繁栄期と定義しているのだが、それによると、こうした繁栄期は時代とともに次のように移動している。

（1）イタリア　一五四〇～一六一〇年
（2）イギリス　一六六〇～一七三〇年
（3）フランス　一七七〇～一八三〇年

（4）ドイツ　一八一〇～一九二〇年
（5）アメリカ　一九二〇年～

このデータを見ると、イギリスの繁栄期は本書の第1章で論じたニュートンの時代と合致している。また、フランスの繁栄期も第2章でたどった時代と重なっていることがわかる。そして、つづいて繁栄期を迎えるのがドイツである。

繰り返しになるが、フランス革命中はついに王政が倒れたという興奮が渦巻き、旧弊を打破して世の中を改革しようという意識が人々の間で高まっていた。そうした高揚感、エネルギーが科学の分野にも波及したのである。そして、革命の最中に創設されたエコール・ポリテクニクから巣立った多くの俊秀がめざましい業績を収めたことは、すでに述べたとおりである。

しかし一九世紀前半、これだけ革命、クーデターが波状的につづき、それによって政治体制が振り子のように揺れ動いて、社会の不安定さが長引くと、さすがにその影響は科学研究にも及んだものと思われる。入れ替わるように台頭してきたのが、ドイツである。

そこで、次の章では、産業革命が進む一九世紀後半のドイツに注目し、そこから科学の新たな革命が進行する歴史をたどることにしよう。

第3章
普仏戦争と「量子仮説」
——量子力学は製鉄業から生まれた？

一八世紀半ばに産業革命を起こしたイギリスは、動力源（蒸気機関）の技術革新と相俟《あいま》って生産工程の機械化が進み、高い工業力を誇るようになった。こうした流れは一九世紀に入ると徐々に、ヨーロッパ諸国やアメリカにも波及していく。その中で、産業革命期を迎えるのがやや遅れたドイツ（当時のプロイセン）は一八七〇年代、製鉄業を中心に重工業の強化に乗り出すが、その契機となったのが普仏戦争（一八七〇〜七一年）に勝利し、フランスから鉄鉱資源、石炭を産するアルザス・ロレーヌ地方を割譲させたことである。

ところで、製鉄の工程ではさまざまな高温作業が行われることから、良質の鉄を生産するには高い温度を正確に計る方法の確立が必要になる。このような産業面の要請から、ドイツでは熱放射という現象を利用した高温測定の研究が盛んになる。その過程で提唱されたひとつの仮説が、やがて二〇世紀の物理学に革命をもたらす量子力学という理論体系へと結実していった。いってみれば、泥臭い実用的な課題がきっかけとなり、ミクロの対象（電子、原子、原子核など）の振る舞いや構造を記述する純粋物理学の基盤が形成されたことになる。〝瓢簞《ひょうたん》から駒〟のような興味深い展開が起きたのである。

そこで、第3章では産業革命という世界史の流れの中で芽生えた科学史上の一大革命が、どのように進行したのかを見ていこう。

コークスによる製鉄

鉄の製錬は古代から行われており、その際、鉄鉱石を溶融するためには、薪《まき》よりも高温が得られる木炭が使われていた。ところが、木炭は燃料として多方面で需要が高まったため、森林の伐採が進み、その価格はどんどん上がっていった。

図３－１は一三世紀のフランスの建築家オヌクールが描いた「水力鋸《のこぎり》」のスケッチである。川の流れ（左上隅の波形《なみがた》）で回転する水車の動力を利用して歯車とカムを回し、木材（中央の棒）を水平に移動させながら、鋸を上下に動かして、木材を自動的に挽《ひ》き割りしていくのである（藤本康雄、前掲書）。

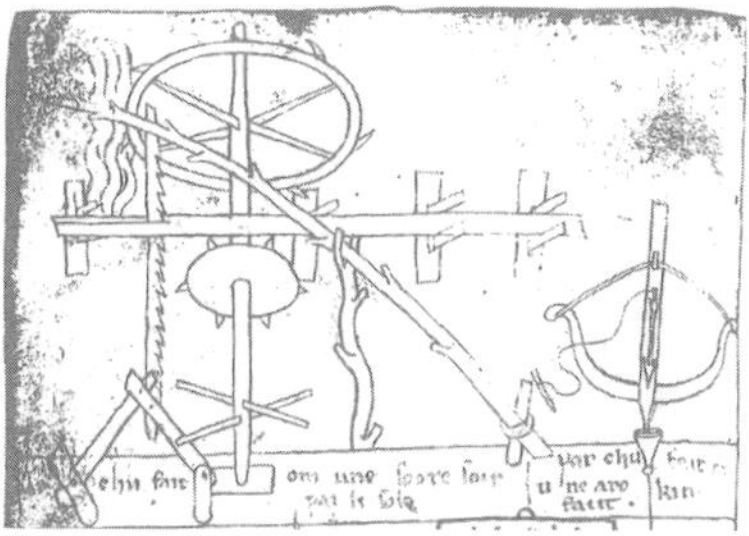

図3-1　水力鋸（『ヴィラール・ド・オヌクールの画帖に関する研究』藤本康雄、中央公論美術出版）

こんな装置が実用に供するのかと思いたくもなるが、なかなかどうして、水力鋸が普及するにつれ森林破壊が心配されるようになり、使用を禁止する地域も出てきたほどだという（人間はすでにこのころから、環境破壊をしていたようである）。

一三世紀において早くも、こうした状況が生じ始めていたわけであるから、近代に入ると木炭の価格上昇が深刻な問題となったのは想像に難くない。

そこで、一七〇九年、イギリスのダービーは鉄鉱石を溶鉱炉で溶融する際、木炭の代わりにコークス（石炭からつくった固体燃料）を用いることを思いつき、その試みに成功した。また、コークスの塊は木炭よりも強度があるので、多量の鉄鉱石を支えることが可能になり、溶鉱炉が大型化されたのである。それによって、イギリスは質のよい鉄を多量に生産できるようになった。こうした木炭からコークスへの転換が、イギリスが産業革命を先行させる要因のひとつとなった。

蒸気機関と産業革命

さて、鉄という素材に加えてもうひとつ、工業化を推進する上で不可欠な要件として、強力な動力機関の開発があげられる。

コークスの需要が高まると、多量の石炭を掘り出さねばならず、それにともない、炭鉱の水を汲み出す技術が求められるようになった。これに応えたのが、イギリスのニューコメンである。彼は一七一二年、水を加熱、沸騰させた蒸気をシリンダーに送り込み、その圧力でピストンを押し出し、次に蒸気を冷却してピストンを引き戻すという一連の動作を繰り返す蒸気機関を製作した。この装置は広く炭鉱で利用されるようになったが、効率はあまりよいものではなかった。

その改良に取り組んだのが、有名なワットである。従来の揚水ポンプとして使われていた蒸気機関では、熱い蒸気が送り込まれたシリンダーを注水によって冷却していたため、供給した熱が失われてしまい、これが機関の効率を下げる大きな要因であった。

そこで、ワットは一七六五年、シリンダーを加熱したまま、シリンダー内の蒸気をポンプで吸い出し、別の容器に移して凝縮する方法を考案した。蒸気を凝縮する容器は常に冷却しておくので、従来型に比べ熱効率が向上したのである。この分離方式でワットは一七六九年、特許を取得している。

図3-2　凝縮器の図面を広げたワットの肖像画、フォン・ブレダ画、1792年（Hackmann、前掲書、写真提供：Granger／PPS通信社）

図3－2は世界史の教科書などでよく目にするワットの肖像画であるが、ここでは左側の机の上に注目していただきたい。思案顔のワットが机に広げているのは、特許を申請するときに描いた凝縮器（蒸気を冷却

して凝縮する装置）の設計図である。ほとんどの本が頬杖を突いているワットの顔だけを切り取って載せているが、科学史の視点からいえば、肖像画の中で見落としてならないのはこの設計図なのである（図1－9の『プリンキピア』を開いたニュートンの肖像画についても、同様のことがいえる）。

さて、特許を取ったワットの分離方式は一七七六年、実用化される。さらにワットは蒸気機関を炭鉱の揚水ポンプだけでなく、多様な動力源として利用することをもくろんだ。そこでワットは一七八一年、ピストンの往復運動を回転運動に変換する装置を開発している。これによって運動の自由度が増し、蒸気機関はさまざまな機械や作業の動力源として活躍の場を広げ、産業革命を推し進めたのである。

その一例が外輪式の蒸気船の登場である。一八〇七年には、アメリカのフルトンが建造した「クラーモント号」がハドソン川で試験航行に成功し、ニューヨークとオルバニー間で定期就航が開始された。また、一八一八年になると、初となる航海用の蒸気船「サヴァンナ号」が建造され、翌年、ジョージア州のサヴァンナからイギリスのリヴァプールまで四週間をかけて、大西洋を横断した。この時点ではまだ、推進力は帆で受ける風力が主で、蒸気機関は補助的なものではあったが、「サヴァンナ号」の航海は間もなく到来する本格的な蒸気船の時代の幕開けとなった（蒸気の力で外輪を回して航行する四隻の「黒船」を率いて、アメリカのペリーが浦賀沖に現れるのは、それから三四年後、一八五三年のことになる)。

一方、陸上では一八〇一年、イギリスのトレヴィシックが鉄のレールの上で車輪を動かす方法を思いつき、蒸気機関車を建造した。そして一八〇四年には、荷物を積んだ五両編成の車両を引いた機関車が時速八キロメートルで一五キロメートルの距離を移動する試験走行を行っている。石炭を燃やして発生させた蒸気の力でピストンを動かし、それをクランクを通し車輪の回転運動に変換したのである。

その後、イギリスのスティーヴンソンが一八二五年、ストックトンとダーリントンの間に旅客鉄道を敷設、自分の工場で製造した機関車に三八両を連結し、時速約二五キロメートルで約六〇〇人の乗客を運ぶのに成功している。これを契機として、鉄道はヨーロッパ大陸、アメリカにも広まっていった(ちなみに、日本では一八七二〔明治五〕年、新橋と横浜間で鉄道が開通している)。

こうして、蒸気機関は機械化による製造業の発展だけでなく、船や鉄道を通し、交通革命、物流革命をともなって、産業革命を牽引《けんいん》していく。

アメリカ合衆国の誕生

ところで、一八世紀後半、イギリスで産業革命が進行するころ、大西洋を挟んだアメリカの植民地ではイギリス本国からの独立の機運が高まっていった。

遡ること一世紀半、イギリスからの移民が北アメリカ東岸のヴァージニアに植民地を建設した（一六〇七年）。入植地は時の国王（ジェームズ一世）にあやかり、ジェームズタウンと名づけられた。その後、イギリスからの入植者は増加し、一八世紀前半には、東岸沿いに北から南まで一三の植民地がつくられるまでになった。

こうした進出にともない、イギリスはフランスと植民地をめぐり、一七五四年から戦闘状態に突入する。これと並行して一七五六年、ヨーロッパではプロイセンとオーストリアの間でシュレジエンの領有をめぐる戦争が勃発、プロイセン側についたイギリスはオーストリアを支援するフランスとここでも戦端を開くこととなる（これは一七六三年までつづいたので、七年戦争と呼ばれている）。

英仏間で二つの戦争が同時進行したわけであるが、結局、どちらもイギリスが勝利し、一七六三年、パリ条約が締結された。これによって、イギリスはカナダ・ミシシッピ川以東の領土を獲得した。

しかし、勝利はしたものの戦費の負担が重くのしかかっていたイギリスは財政建て直しのため、植民地に対する課税の強化に乗り出した。一七六五年に導入された印紙税法（各種の証書、文書にイギリス本国が発行する印紙を貼ることを義務づけた法律）などがよく知られている。また、イギリスは本国の産業を保護するため、植民地の貿易や工業の振興にも制限を課す政策をとっていたため、本国と植民地の間では対立が激化していった。

こうした緊迫した情勢の中、一七七三年、インド産の茶を積んだ東インド会社の船がボストンに入港したとき、植民地での茶の販売に反発した市民が茶箱を海に投棄するという抗議行動（ボストン茶会事件）が起きた。これに対し、本国政府はボストン港を閉鎖するという強硬策に打って出たため、植民地側の反発はさらにエスカレートしていった。それを反映し、翌七四年にはフィラデルフィアで、植民地の代表による第一回大陸会議が開かれ、本国に対し自分たちの自治を尊重する要求が出された。

しかし、それも認めぬ本国は軍事力をもって植民地の動きを封じ込めようとしたため、一七七五年、ボストン近郊のレキシントンやコンコートでついに武力衝突が発生、ここにアメリカ独立戦争が始まった。このとき、植民地軍の総司令官に任命されたのが、ワシントンである。そして、翌七六年にはジェファーソンらが起草した「独立宣言」が発せられた（一七五二年に避雷針を発明したことで知られるフランクリンも、起草委員の一人である）。

さて、戦況は当初イギリス軍が優勢であったものの、フランス、スペイン、オランダが植民地側について参戦したことも手伝い、独立軍は劣勢をはね返し、一七八一年、ついにヨークタウンの戦いでイギリス軍を降伏させた。ここに一三州からなるアメリカ合衆国が誕生し、一七八三年のパリ条約によって、その独立が確認された。一七八七年には憲法が制定され、フランス革命の年となる一七八九年、ワシントンが初代大統領に就任する。

ランフォード伯爵と熱の運動説

以上、アメリカ合衆国が誕生するまでの流れをざっとたどってみたが、植民地の人間でありながら、イギリス軍の将校として独立戦争に参加し、ワシントン率いる独立軍と闘った人物がいる。一七五三年にマサチューセッツ州に生まれたベンジャミン・トンプソンである（なお、植民地側にもイギリス国教会聖職者や大地主などを中心に、国王ジョージ三世に忠誠心を抱く層が一定の割合で存在した）。

この人物こそ、後に熱の運動説を唱え、エネルギーという重要な概念の確立に向けた先駆的な業績をあげる、ランフォードの若き日の姿である。トンプソンがランフォードと呼ばれるようになった経緯については後で触れるが、ここに世界史と科学史の接点が見られるのである。

さて、戦況が独立軍優位に傾き始め、独立宣言が発せられる一七七六年、トンプソンはイギリス軍の司令官に「彼は国王に忠誠を尽くした」と認《したた》めてもらった書状を懐に抱き、ロンドンへ亡命した（ちなみに、トンプソンは自分が指揮した部隊を〝国王の竜騎兵〟King's

Dragonと呼んでいた）。そして、軍務経験を生かして行った火薬の研究や弾丸の速度測定が評価され、一七七九年、王立協会会員に迎え入れられている。

一七八三年には、知遇を得ていた国王ジョージ三世の許可を得て、トンプソンはヨーロッパ大陸に渡り、バイエルン選帝侯に仕え、軍政面でその手腕を発揮した。この功績により一七九一年、アメリカ出身の亡命者は神聖ローマ帝国の貴族に列せられ、ランフォード伯爵となったという次第である（ランフォードとは、彼がマサチューセッツ州で所有していた土地があった町の名）。

ところで、当時、熱の正体は「カロリック」と名づけられた質量のない〝元素〟の一種と考えられていた。ラヴォアジエの『化学原論』にまとめられた元素の表にも、確かに“Calorique”として載っている（図2－3参照）。このカロリックなるものの出入りによって、熱現象はすべて説明がつくと考えられていた。

こうした定説に異を唱え、いま風の表現を使えば、〝パラダイム・チェンジ〟をはかったのがランフォードである。そのきっかけは、ミュンヘンの軍需工場で大砲の砲身のくり抜き作業を見ていたときのことであった。これは砲身にする円筒形の真ちゅうに高速回転させた錐《きり》で穴を穿《うが》っていくのであるが、このとき、砲身と削り屑《くず》の破片からきわめて多量の熱が発生しつづけることにランフォードは注目した。そこで、ランフォードは小型の砲身の模型をつくり、水中でくり抜き作業を再現してみた。すると、これによって水が沸騰するほどの熱が生み出されていることにランフォードは気がついた。しかも、錐を回転させている間はいつまでも水は沸騰しつづけるのである。

この発熱現象をカロリック説で解釈するとなると、摩擦を起こせば、砲身（一般的にいえばすべての物質）はその操作をやめない限り、無限にカロリックを放出しつづけることになる。これに対しランフォードは実体としてあるべき元素（カロリック）がこのように、無尽蔵に湧き出てくるはずはないと疑念を呈した。

そこから、ランフォードは熱は力学的仕事（いまの場合は錐によるくり抜き）によって物質内に生じる何らかの運動に起因すると考えた。そして、再びロンドンに戻ったランフォードは一七九八年、王立協会の機関誌『哲学会報』に「摩擦によって引き起こされる熱の源に関する研究」という論文を発表し、カロリック説を明白に否定したのである。

ただしこの時点ではまだ、物質内のどのような運動が熱を担っているのかという具体的なメカニズムまで突き止められたわけではなかった（したがって、しばらくはカロリック説と運動説が併存していくことになる）。熱の正体が物質を構成する粒子の運動エネルギーとして捉えられ、力学的な仕事量と発生する熱量の関係が測定されて、そこからエネルギー保存則が確立されるのは一九世紀半ばのことになるが、ランフォードの研究はこうした熱力学の発展の礎となった。

さて、イギリスに戻ったランフォードは、科学の振興策にも力を入れた。一七九九年、王立協会会長バンクスに働きかけ、ロンドンに科学の新しい研究機関の創設を提言する。バンクスは青年期より国王ジョージ三世との親交が深かったことも手伝い、ただちに国王からの勅許を得、篤志家からの寄付も集まり、その年、早くも王立研究所が発足した。発足にあたっては、「大英帝国の首都に、知識を普及し、有用な機械の発明と改良を促進させ、学術講演と実験を通して、科学を日常生活に役立てることを目的とした公共の機関を、寄付金によって設立する」という趣旨が明言された（"The Royal Institution" G. Caroe, John Murray）。基礎科学の研究だけでなく、「機械の発明と改良」や「科学を日常生活に役立てる」という応用技術を意識した文言が掲げられているところに、産業革命が進行する時代背景がうかがえる。

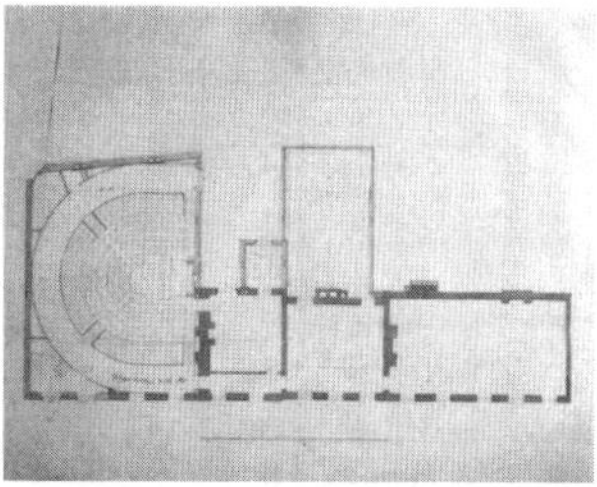

図3-3　ランフォードが描いた王立研究所の設計プラン（Caroe、前掲書）

なお、ランフォードは王立研究所の設計プランも描いており、二階の見取り図を見ると左側に収容人数一〇〇〇名の大講堂が配置されている（図3－3）。後にここでファラデーが聴講したデイヴィーの電気分解の実験や『ロウソクの科学』などで知られるファラデーのクリスマス講演を通して多くの市民や子供たちが科学に親しむのも、ランフォードのアイデアでこうした科学の〝劇場〟が当初から用意されていたからである。

もうひとつ、科学の振興に関してランフォードが寄与したことは、「ランフォード・メダル」という顕彰制度の設立である。一七九六年、彼は王立協会に一〇〇〇ポンドの寄付を行い、その運用利子で二年ごとに、熱または光の研究ですぐれた業績を収めた科学者に六〇ポンド相当のメダルを贈ることにした。歴代の受賞者には、ファラデー、ストークス、パスツール、マクスウェル、ヘルツ、レントゲン、ラザフォード……と錚々たる顔ぶれが並んでおり、その権威の高さがうかがえる。

こうやってたどってみると、アメリカ独立戦争の展開次第ではトンプソンがヨーロッパに渡り、貴族に列されることもなく、一九世紀の熱力学の進歩も違っていたかもしれないという気がしてくる。

神聖ローマ帝国の崩壊とドイツ統一

ところで、ランフォードに爵位を授けた神聖ローマ帝国は一八〇六年、崩壊の運命をたどる。九六二年にオットー一世（大帝）が初代皇帝に就いてからおよそ八五〇年の歴史が、ここに閉じられた。第1章のライプニッツのところで触れたように、すでに三十年戦争（一六一八～四八年）終結後、神聖ローマ帝国の皇帝の地位と権威は形骸化し、ドイツは各地方の諸侯が主権を握る、分立状態となっていた。

その後一九世紀に入り、ナポレオンが登場すると、フランスは一八〇五年、第三回対仏同盟を組んでいたオーストリアとロシアの連合軍を破り（第2章で述べたアウステルリッツの戦い）、つづけてプロイセンにも大勝する。その勢いで一八〇六年、ナポレオンはオーストリアとプロイセンに対抗するため、ドイツ西南部の一六諸邦に同盟（ライン同盟）を結成させた。

こうしたナポレオンの戦略による圧迫を受け、オーストリア皇帝で神聖ローマ皇帝でもあったフランツ二世は同年、帝国の解体を宣言し、退位する（オーストリア皇帝の地位には亡くなる一八三五年まで在位）。形骸化したとはいえ、中世からつづいた神聖ローマ帝国はここに消滅したのである。

ちなみに、一八〇九年、ジョゼフィーヌと離婚したナポレオンが翌一〇年、再婚した相手のマリ＝ルイーズはフランツ二世の娘であるというから、話はややこしい。政略結婚の典型である。それにしても、再三述べているように、こうしたヨーロッパの王室の入り組んだ系図は実に複雑であると、あらためて感じる。

なお、ライン同盟はナポレオンの失脚とともに消滅するが、神聖ローマ帝国が再建されることはもはやなかった。さて一八一四年九月、ヨーロッパ各国代表がウィーンに集まり、オーストリア外相メッテルニヒが議長を務める中、ナポレオン退位後の戦後処理を協議する国際会議（ウィーン会議）が開かれた。しかし、領土問題をはじめとする各国の利害が衝突——加えて、ナポレオンの百日天下なども挟まり——、議論はなかなか進まなかった。会議が遅滞し、参加者が舞踏会にばかり興じていた状況をオーストリアのリーニュ公が「会議は踊る、されど会議は進まず」と評した言葉は有名である。

すったもんだしたあげく、半年以上を費やしたウィーン会議は一八一五年六月、最終議定書をやっとのことでとりまとめ、終結した。これによって、オーストリアやプロイセンを含む三五諸邦（君主国）と四つの自由市からなるドイツ連邦が成立した。

しかし、その後、ドイツ統一に向けた動きは混乱がつづく。そして、一八六六年、統一の方式をめぐってプロイセンとオーストリア間で戦闘が勃発（普墺《ふおう》戦争）、プロイセンが大勝し、オーストリアを排除したドイツ統一の基盤が出来上がった。

この結果にナポレオン三世は脅威を感じ、そこにスペインで生じた女王イサベル二世退位後の王位継承紛争が絡み、一八七〇年、フランスはプロイセンに宣戦布告するが（普仏戦争）、翌年、プロイセンの勝利で決着を見た。この敗戦によりフランスはアルザス・ロレーヌをドイツに割譲、ナポレオン三世は退位、フランスは共和政へと移行した。

一方、ドイツではこの年（一八七一年）、諸君主国と自由市の統一による連邦国家（ドイツ帝国）が設立され、プロイセン国王ヴィルヘルム一世がドイツ皇帝に即位、プロイセン首相のビスマルクが宰相を兼務することとなった。ここに、六五年の空白期間を経て、ドイツに神聖ローマ帝国に次ぐ帝国が誕生するのである。ただし、それも一九一八年には終わりを告げるのであるが。

ドーデ「最後の授業」

話は変わるが、普仏戦争と聞くと、子供のころ読んだフランスの作家ドーデの短編小説「最後の授業」を思い出す（『月曜物語』桜田佐訳　岩波文庫に収録）。

舞台は普仏戦争直後のアルザス地方の学校。授業に遅刻し、叱られるのを覚悟で教室に入ってきたフランツ少年はその場の雰囲気がいつもと違うことに驚く。今日に限って遅刻を怒らなかったアメル先生は学校行事が行われる特別な日にしか身につけない晴着を着ており、教室の後ろの席には大勢の村人たちが座っていた。そして、教壇に上ったアメル先生は優しい重味のある声で、こう話し出す（引用は岩波文庫より）。

みなさん、私が授業をするのはこれが最後《おしまい》です。アルザスとロレーヌの学校では、ドイツ語しか教えてはいけないという命令が、ベルリンから来ました……新しい先生が明日《あす》見えます。今日はフランス語の最後のおけいこです。

その日、フランツは暗誦の宿題が当たる番であったが、ちゃんと勉強してこなかったため、最初からまごついてしまう。このとき、アメル先生はこう語りかける。

私たちは毎日考えます。なーに、暇は充分ある、明日《あす》勉強しようって。そしてそのあげくどうなったかお分りでしょう……ああ！　いつも勉強を翌日に延ばすのがアルザスの大きな不幸でした。今あのドイツ人たちにこう言われても仕方がありません。どうしたんだ、君たちはフランス人だと言いはっていた。それなのに自分の言葉を話すことも書くこともできないのか！……この点で、フランツ、君がいちばん悪いというわけではない。私たちはみんな大いに非難されなければならないのです。

そして、アメル先生はある民族が奴隷となっても、その国語を守っている限りは、その牢獄の鍵を握っているようなものだから、フランス語をしっかりと守って、決して忘れてはならないと話す。たとえ領土は奪われても、母国語を守ってさえいれば、民族の魂までは失わないとアメル先生は生徒や村人たちに訴えたのである。普仏戦争の敗戦によるアルザス地方の悲哀とフランス語を通して母国愛を描いた名作である。

なお、第一次世界大戦後の処理を定めたヴェルサイユ条約(一九一九年)により、アルザス・ロレーヌはフランスに返還されるが、第二次世界大戦中の一九四〇~四四年の間、再びドイツ軍に占領されている。しかし、その後ドイツの降伏により、フランス領に戻るという転変を繰り返した。

熱放射と高温測定

さて、話を一九世紀に戻すと、本章のはじめに述べたように、普仏戦争に勝利し、鉄鉱資源や石炭が豊富なアルザス・ロレーヌを手に入れたドイツは産業革命の遅れを取り戻すべく、重工業の振興に力を入れるようになる。その基盤となるのが、製鉄業である。

そこで、製鉄のさまざまな工程で生じる高温を正確に測定する方法の確立が求められるようになる。温度が安定しなければ、鉄の品質にばらつきが生じてしまうからである。

とはいっても、鉄が溶けるほどの高温を測るには、普通の温度計など物の役にも立たない。したがって、温度に敏感な適当な物理現象を何か利用しなければならない。ここで注目されたのが、熱放射である。これは熱せられた物体が温度に応じたスペクトルの光を放射する現象である。スペクトルとは光（一般には電磁波）を分光器で分けたとき得られる波長の成分をいう。と書くと難しそうに聞こえるが、可視光でいえば波長は色に対応するので（波長が一番短いのが紫、順に藍《あい》、青、緑、黄、橙《だいだい》と変化し、一番長い波長が赤）、第1章で述べたニュートンのプリズムによる太陽光の分散による色彩の帯が、まさにスペクトル観測のはじまりといえる。

つまり、熱放射で発生する光の波長の分布を測定し、そこから温度を決定しようと考えたわけである。一般的にいうと、温度があまり高くないときは赤外線（赤よりも波長が長い電磁波）が強く放射されるが、高温になると赤い光も出はじめ、温度上昇とともに波長がより短い紫までの成分が入りまじってくる。鉄を加熱すると初めのうちは赤く輝いているが、やがて白熱してくるのはそのためである。

ベルリンの物理工学国立研究所の創設

一九世紀末、この熱放射による高温測定研究の中心となったのが、一八八七年、ヴェルナー・フォン・ジーメンスの基金をもとに、「技術の発展とそれを支える基礎科学の振興」を目的として、ベルリンに設立された物理工学国立研究所である（ジーメンスはドイツの電気機械メーカーを興した企業家）。

初代研究所長に就任したのは、エネルギー保存則を数学的に定式化したことで知られる、ドイツ科学界の重鎮ヘルムホルツ、また研究員にはヘルツホルムの門下生で、光度計や干渉計の分野で業績を残したルンマーや、「熱放射の法則に関する研究」で一九一一年にノーベル物理学賞を受賞することになるヴィーンなど、すぐれた物理学者が呼び集められた。

設立目的に掲げられているように、この研究所の特色は応用技術と基礎学科を分離して独立に扱うのではなく、両者を融合して研究するところにあった。その点、熱放射というテーマはその趣旨にぴったりな対象であった（なお、一九一七年、日本では国庫補助と財界からの寄付で運営される理化学研究所が誕生するが、そのとき、模範とされたのが物理工学国立研究所であったといわれている）。余談になるが、もう半世紀近くも前、私は二か月ほどの短期間ながら、この研究所に滞在した経験がある。当時、理工系の学生を対象に夏休み期間中、海外の研究機関で研修を行わせる制度があり、私はその制度を利用して、ベルリンへ赴いた。

ベルリンの中央駅にあたるツォーロギッシャー・ガルテン駅（東京の上野のように大きな動物園があるので、この駅名がつけられていた）から、目抜き通りを北西に進むと、一七世紀末に建てられたバロック様式のシャルロッテンブルク宮殿に行き着く。ここは、ライプニッツを招聘してベルリン科学アカデミーを開いたプロイセン国王フリードリヒ一世の王妃シャルロッテの離宮であったが、いまは観光の名所となっている。

その名所に向かう途中、目抜き通りから少し入ったところに、物理工学国立研究所の建物があった。まだ学生であった私は相当に緊張した面持ちで、科学史に名前を刻んだ研究所の門をくぐったのだと思う。そして、研究員の指導を受けながら、光度測定の実験方法やデータの取り方を学んだことを懐かしく思い出す。ドイツが東西に分断され、西ベルリンが東ドイツの中で孤島のように存在していた時代の話である。

一九世紀物理学を覆う暗雲

懐旧談はこの辺にして、一九世紀末の熱放射研究に話を戻すと、実験は溶鉱炉を模した空洞のあるミニチュアの炉を加熱して行われた。こうすると、炉の内壁から空洞内に電磁波が放射される。放射された電磁波は再び、内壁に吸収される。つまり、放射と吸収は同時並行して生じる。このとき、炉の温度を一定に保っておくと、電磁波の放射と吸収のバランスがとれ、空洞内は平衡状態に達する。

この状態になると、炉の空洞内の電磁波は内壁の温度だけに依存したスペクトル（波長分布）を示す。そこで、炉に開けた小窓から漏れ出てくる電磁波のスペクトルを観測し、炉内の温度との対応を調べるというのが実験の原理になる。

このようにして漏れ出てくる電磁波の波長に対する強度分布を測定すると、山形の曲線が描かれる。温度が上昇するにつれ、山のピークは高くなり、ピークの位置は短波長側に移動してくる。

ところが、ここで予想外の事態が発生する。熱力学と電磁気学を使って熱放射のスペクトルを計算すると、測定結果と一致しなかったのである。当時、熱力学も電磁気学も広い範囲の現象に適用されており、その正しさは実証済みの理論体系と考えられていた。にもかかわらず、それが熱せられた物体が温度に応じたスペクトルの光を出すという、一見さもないように思われた現象を説明するのに手こずっていたのである。

そうした混迷状態の中、一八九六年、物理工学国立研究所のヴィーンが気体分子運動論を使って、測定結果とよく一致するスペクトルの理論式を導き出した。この式によって、放射エネルギーの最大値を示す電磁波の波長と炉内部の空洞の温度を対応づける関係が求められた。

やれやれ、これにて一件落着かと思われたが、そうはいかなかった。熱放射をより長い波長領域まで広げて測定してみると、そこではヴィーンの式から大きくずれてくることが判明した。このずれを修正する式がイギリスのレイリーによって提唱されたが、これは逆に短い波長領域に入ると測定と一致しなかった。まさに「帯に短し、襷《たすき》に長し」の様相を呈したのである。

一九〇〇年四月二七日、イギリス物理学界の大御所ケルヴィンがロンドンの王立研究所で、世紀の節目にあたり、一九世紀の物理学を回顧し、そのめざましい発展を総括する講演を行っている。その中でケルヴィンは熱放射の現象を理論的に説明できないでいる状況を、「熱と光の理論を覆う暗雲」と表現した。ただし、熱放射の問題はいまは手を焼いているように見えるが、既存の物理学の枠内で測定データと合致する理論式は必ず導き出されると、ケルヴィンは信じていた。つまり、やがて暗雲は消え去り、物理学の世界には青空が戻ってくると確信していたのである。

というのも、当時、物理学は高度に完成の域に達した学問であり、自然界の基本法則や原理（ニュートンの運動法則や重力の法則、熱力学の法則、電磁気学のマクスウェル方程式など）はすべて発見し尽くしたという認識が——いまから見れば、思い上がりもはなはだしいとしか映らないが——蔓延していたからである。

とりわけ、自らが長いこと一九世紀物理学を牽引し、その発展ぶりを肌で感じていたケルヴィンは、そうした思いが強かったのであろう。

ケルヴィンは一八四六年、二二歳の若さでグラスゴー大学教授となった逸材で、一八九九年までこの地位をつとめている。絶対温度の単位「K」に名前を刻まれたことからもわかるように、熱力学第二法則(エントロピー増大則)の発見に寄与し、電磁気学の確立をはじめとする物理学全般に貢献した人物である。

さらにイギリス科学振興協会会長や王立協会会長、グラスゴー大学学長といった要職を歴任している。彼の本名はウィリアム・トムソンというが、こうした数々の業績、功績が称えられ、一八九二年、貴族(男爵)に列せられ、ケルヴィン卿となったのである(ケルヴィンは彼の故郷グラスゴーの川の名前)。また、ダイアー(機械工学)、エアトン(電気工学)、ユーイング(物理学)などの門下生を明治政府の要請に応じて、日本に派遣している。この貢献に対し、一九〇一年、明治政府はケルヴィンに勲一等の勲章を贈ったほどである。

そして、この大物理学者が生きた時代は、イギリスの黄金期といわれるヴィクトリア女王(在位一八三七〜一九〇一年)の統治期と完全に重なっている。母国繁栄の潮流の中で、一九世紀物理学の担い手であり、その〝守護神〟的存在であったケルヴィンが、いかなる物理現象もすでに手に入れた法則や原理にもとづいて、やがては解明できると考えたのも無理からぬところであった。

しかし、ケルヴィンの予想と期待は打ち砕かれることになる。王立研究所での講演から八か月後の一九〇〇年一二月一四日、ベルリン大学教授のプランクがドイツ物理学会で、全波長領域にわたって熱放射の測定結果と一致する式を提唱した。ただし、その式の導出に際しては、当時の物理学の常識を完全に覆す前提が組み込まれていた。換言すれば、製鉄現場の要請から注目された熱放射という現象を説明する上で、ケルヴィンが信奉していた既存の体系はまったく役に立たず、新しい概念の創出が必要であることが示されたのである。

こうして、二〇世紀まで後半月と迫ったところで物理学は大きな転換期に突入する。ケルヴィンがたとえた〝暗雲〟は消え去るどころかどんどん大きくなり、〝嵐〟を呼び、その中から一九世紀物理学とはまったく異質な「量子力学」という体系が生まれてくるのである。その後の展開は、熱放射の問題を解決したプランク自身にも予測できなかったほど大きなものであった。

プランクが唱えた掟破りの仮説

さて、プランクが導入した従来の物理学に抵触する前提とは、「量子仮説」と呼ばれるものである。

プランクは熱放射は多数の微小な電磁気的な振動体から発せられるとし、振動数 ν （ギリシャ文字のニュー）の振動体のエネルギーは、hνを単位として、その整数倍の値（hν、2hν、3hν……）しかとれないと仮定した。これが量子仮説である（hは振動数νに乗じてエネルギーの単位に換算する定数である）。つまり、熱放射で観測される電磁波のエネルギーは連続的に変化するのではなく、不連続な値しか取れないことになる。たとえば１・５×hνとか２・８×hνという途中の値は禁止されており、hνの次は２×hνへ、その次は３×hνへ……という具合にとびとびにスキップするのである。

一九世紀の物理学に従えば、エネルギーは連続的に変化するものであり、こうした特定の値しか許されないなどという禁止事項はどこにも盛り込まれてはおらず、常識を否定する内容であった。

なお、「量子」という呼称はある物理量（いまの場合はエネルギー）が、ある単位（いまの場合はhν）をひと塊にしてその何個分と数えられる粒子的なイメージで捉えられることに由来している。

そして、ともかく、この奇妙な――当時としては、物理学の掟破りのような――仮説を導入して熱放射のスペクトルを計算すると、不思議なことに、測定結果とみごとに一致したのである。とりあえず、製鉄工程上の実用的な面では、それでよしとなるが、物理学ではなぜ量子仮説なるものが成り立つのかという、新たな疑問が生じてくる。

実は、プランクにしてもそれはわからなかった。彼は一九一八年、ノーベル物理学賞を受賞するが、その記念講演の中で、当初自分が導き出した熱放射の式は幻想かもしれないと思ったこともあると回想している。うまくいきすぎただけに、量子仮説の物理学的意味が不明なまま、結果オーライと手放しで喜ぶわけにもいかず、どこか不安で不気味な思いを払拭しきれなかったのであろう。

日本人初のノーベル賞受賞者となった湯川秀樹が国立民族学博物館館長をつとめた梅棹忠夫との対談『人間にとって科学とはなにか』(中公新書)の中で、次のようなことを語っている。

一七世紀のデカルトは、まず自明なものから出発せよといっている。だれが考えても、どうしても否定できない自明なものをまず正確に把握して、それを原理として、そこから演繹論理・形式論理を発展させ、だんだんとほかのことを理解してゆくのがよろしいのだというわけです。出発点は自明な原理、いきなり納得できる原理から出発せよ、こういうわけです。ニュートン力学の出発点は必ずしも自明ではないけれども、まあまあ納得がゆく。ところが二〇世紀の物理学がそれをひっくり返しまして、奇妙な前提あるいは原理からはじめる。初めに原理といって掲げるものは自明でない、すぐには納得できない仮説です。

プランクの「量子仮説」は、湯川のいう〝奇妙な前提〟、〝納得できない仮説〟そのものであった。しかし、当初はどのように非常識と受け取られ、提唱者自身ですら戸惑いを覚えたとしても、真理をつかんだ価値ある本物の理論とは、やがて提唱者の手を離れ、一人歩きしていくものである。そこに潜む真に重要な意味に気がつく誰かが現れ、そこから大輪の花が咲くのである。プランクの量子仮説の場合、その役を担ったのはアインシュタインであった。

アインシュタインが愛したスイス

プランクは量子仮説の提唱によって物理学にブレーク・スルーを起こしておきながら、ノーベル賞講演で回想したように、その意義を自分自身でつかみかねていた。これは多分に彼が物理学者として成長していく時代背景が強く影響していたような気がする。

一八五八年に生まれたプランクは、まさに古典的な一九世紀物理学全盛の時代に教育を受け、研究者として歩み始め、一八九二年にベルリン大学教授となった人物である。彼はミュンヘン大学の学生だったとき、指導教授のヨリーから「物理学はすでに完成された学問であり、基本的な問題は解明し尽くされている」と聞かされたというエピソードが伝えられている。さきほど紹介したイギリスのケルヴィンの自然観もまさにこれと同じである。

物理学は一種の〝収穫逓減《ていげん》の法則〟に従い、もはや変革をともなう心躍るような発見はなされないという捉え方が、当時の指導的立場の研究者には広く定着していた。そう考えると、プランクが量子仮説を発表したときの四二歳という年齢はなかなか微妙である。ケルヴィンやヨリー教授のようにはまだどっぷりと古典物理学に浸かっていたわけではなかったと思われるからである。

だからこそ、常識からはずれた仮定を設けて熱放射の式を導き出しながらも、同時にそこに違和感を抱きつづけたのである。こうしたプランクの中途半端に映る姿は「片足は一九世紀に置き、片足は二〇世紀へと踏み出していた」かのように見える。

一方、一八七九年生まれで、プランクより二〇歳若く、一九〇〇年（ケルヴィンが前述した講演を行い、プランクが量子仮説を発表した年）にチューリッヒ工科大学を卒業したばかりのアインシュタインにとって、旧来の常識や固定観念による縛りはだいぶ弱かったものと思われる。

一九〇五年、アインシュタインはドイツの物理学雑誌『アナーレン・デル・フィジーク』

に「光量子仮説」の論文を発表し、プランクの仮説に物理学的な解釈を下した。これによってもはや片足を一九世紀に残すことなく、天才は両足で二〇世紀へと踏み出すのである。このときアインシュタインは二六歳、スイスのベルンの特許局で審査を担当する下級の技官であった。

ところで、アインシュタインが天才性を発揮できた背景として、二〇世紀初期、二〇代前半の若者であったことに加え、もうひとつ、物理学徒として過ごしたスイスの風土があげられるように思う。アインシュタインの生地は南ドイツのウルムであるが、一六歳（一八九五年）のとき、スイスのアーラウの州立学校に入学し、翌年卒業している。卒業証書を見ると、代数、幾何、物理学は最優秀の成績「6」をとっている（図3－4）。そして一八九六年から一九〇〇年まで、チューリッヒ工科大学で学んでいる。

しかし、大学卒業後、研究職に就くことはできなかったため、一九〇二年からベルンの特許局に勤務する傍ら、一人で光量子仮説や特殊相対性理論などの論文を執筆しつづけた。やがて、それらの業績が評価され、一九一一年にプラハの大学に理論物理学教授として招かれるが、翌年には再びチューリッヒに戻り、一四年まで母校の教授をつとめている。プラハでの一年間を除くと、アインシュタインは一六歳から三五歳まで二〇年近くをスイスで暮らしたことになる。その間の一九〇一年には、スイスの市民権を獲得している。

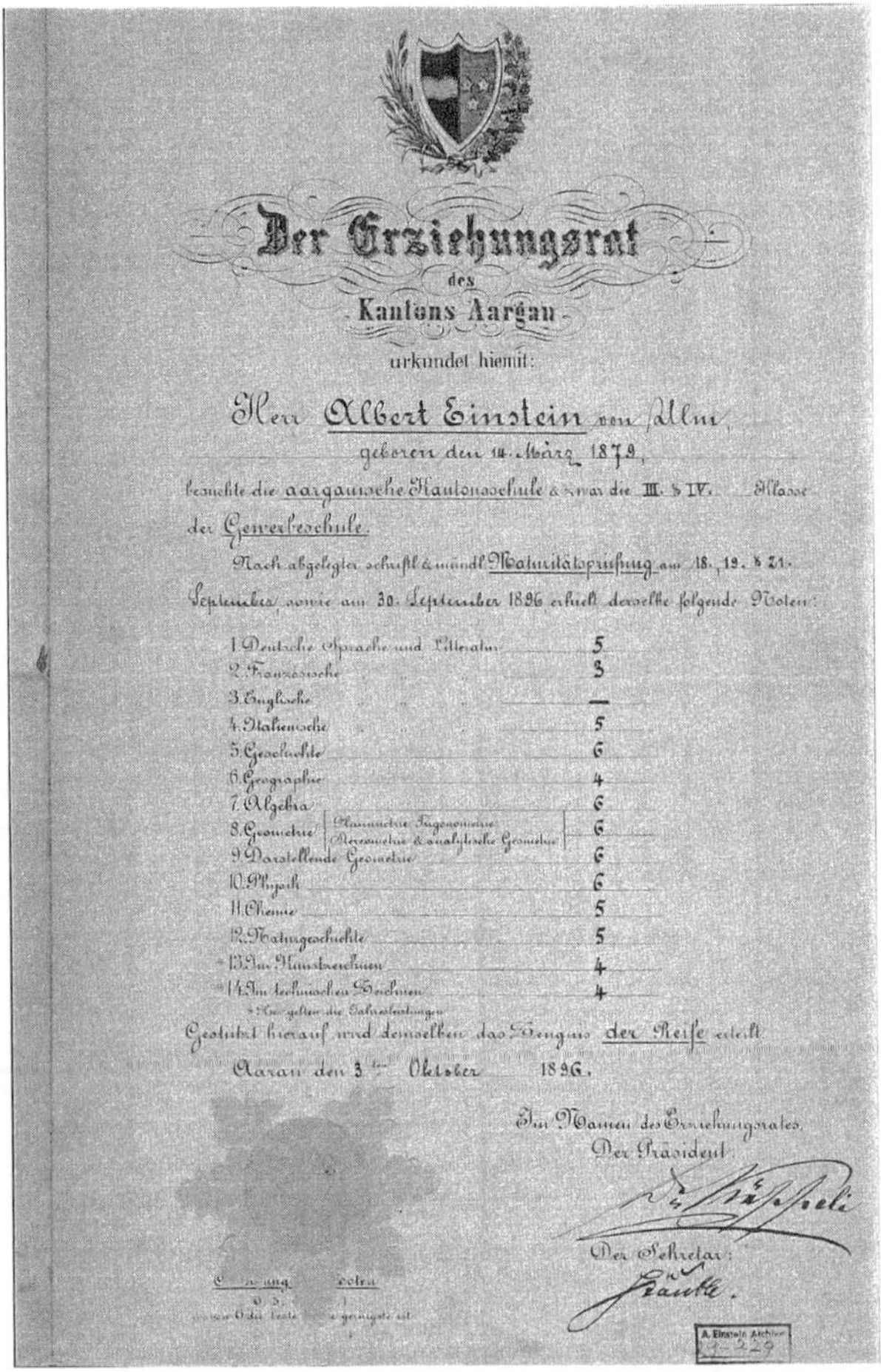
Der Erziehungsrat
des
Kantons Aargau
urkundet hiemit:
Herr Albert Einstein von Ulm,
geboren den 14. März 1879,
besuchte die aargauische Kantonsschule & zwar die III. & IV. Klasse
der Gewerbeschule.
Nach abgelegter schriftl. & mündl. Maturitätsprüfung am 18., 19. & 21.
September, sowie am 30. September 1896 erhielt derselbe folgende Noten:

1. Deutsche Sprache und Litteratur	5
2. Französische	3
3. Englische	—
4. Italienische	5
5. Geschichte	6
6. Geographie	4
7. Algebra	6
8. Geometrie (Planimetrie, Trigonometrie, Stereometrie & analytische Geometrie)	6
9. Darstellende Geometrie	6
10. Physik	6
11. Chemie	5
12. Naturgeschichte	5
*13. Im Kunstzeichnen	4
*14. Im technischen Zeichnen	4

* Hier gelten die Jahresleistungen
Gestützt hierauf wird demselben das Zeugnis der Reife erteilt.
Aarau, den 3. Oktober 1896.
Im Namen des Erziehungsrates,
Der Präsident:
Der Sekretär:
A. Einstein Archive

図3-4　アインシュタインのスイス、アーラウの州立学校の卒業証書（『図説アインシュタイン大全』A.ロビンソン編著、小山慶太監訳、寺町朋子訳、東洋書林）

スイスは一六四八年、第1章で触れた三十年戦争終結後、神聖ローマ帝国から独立、そして一八一五年に制定されたウィーン議定書により、永世中立国となることが認められていた。そうした歴史から、ドイツとは国民性が異なり、アインシュタインが学んだアーラウの学校は自由主義的な思想にもとづく教育が行われていた。厳格で権威主義的な雰囲気が強いドイツのギムナジウムに馴染めなかったアインシュタインにとって、スイスの学校は居心地のよい場となったのである。

また、アインシュタインはスイスの自然、とりわけアルプスの山々の景観がとても好きだったことが若いころの手紙からも伝わってくる。晩年には物理学の理論構築を山登りになぞらえて、こう語っている。

> 新しい理論を作り出すのは、山を登って新しい広々とした景色を見渡し、自分が立っている地点と周辺の豊かな環境との間に、予期せぬ発見をするようなものです。
>
> （A・ロビンソン、前掲書）

このように、アルプスの壮麗な山並みがアインシュタインの思索にも影響を与えたものと思われるが、引用した一文は「遠くを見ることができたのは、巨人の肩の上に乗ったからである」と述べたニュートンの有名な言葉を想起させる。山も巨人も周囲を広く見渡して、独創的、革新的な理論を打ち立てる地点の比喩として共通しているように感じられるからである。

一九三三年、アインシュタインはナチスが政権を掌握した後、ドイツには戻らないことを宣言して、アメリカに亡命、亡くなる一九五五年までの二二年間をプリンストンで過ごした。それでも、天才にとって〝心の故郷《ふるさと》〟はアメリカでも、もちろんドイツでもなく、やはり青春時代に次々と歴史に残る論文を著したスイスだったのである。

亡くなる数か月前、アインシュタインはプリンストンからスイスに帰っていく友人にこう語ったという。

「君は、ぼくが知っている限りでは、この地球で一番美しい、あのスイスに帰っていくんだな」(『スイスを愛した人びと』笹本駿二、岩波新書)

望郷の念がじんわりと滲み出てくる言葉である。

アインシュタインの光量子仮説

それでは、アインシュタインが愛したスイスでまだ無名時代の一九〇五年に発表した、光量子仮説について見てみよう。

当時、光（電磁波）は電場（電気的な力が働く空間）と磁場（磁気的な力が働く空間）が直交して振動しながら伝搬する横波（波の振動方向と進行方向が直交する波）と考えられていた。そして、その伝搬速度は真空中では光速（秒速約三〇万キロメートル）になる。

光がこうした横波であることは一八六五年、イギリスのマクスウェルによって理論的に導き出され、一八八八年、ドイツのヘルツがマクスウェル理論の正しさを実験で証明している。そして、この考え自体は今日でも間違ってはいないのであるが、そこにアインシュタインはそれまで誰も考え及ばなかった描像をつけ加えるのである。

それは光は波であると同時に粒子としての属性も併せもっているという捉え方である。ここで重要なのは波動性を否定したのではなく、粒子としての側面もあるという〝二重性〟の提唱である。古典物理学では波と粒子はまったく別の概念であり、前者は波動方程式で、後者はそれとは異なるニュートンの運動方程式でそれぞれ記述される。また、難しいことをいわなくても、我々が目にする現象の中で波と粒子はまったく別物である。

ところが、アインシュタインは光について両者を融合した「波と粒子の二重性」ということをいい出した。さきほど引用した湯川の言を借りると、これも〝奇妙な前提〟、〝納得できない仮説〟ということになる。

こうした二重性は次のように言い換えることもできる。古典物理学の世界で考えられていた波とは、媒質（水などの液体や空気、あるいは固体物質など）が連続的に振動する現象である。これに対し、粒子は不連続な塊として存在する。つまり、アインシュタインは光という実体の中に、連続と不連続という相反する概念を併存させたのである。

具体的に書くと、熱放射によって発生する振動数νの光は、hνのエネルギーをもつ粒子として振る舞うとアインシュタインは考えた。振動数は波動を表す物理量であるが、それを粒子に組み込んだのである。たとえてみれば、hνの勢いをもった弾丸が次々と発射されるイメージであり、そう仮定すると、熱放射で生じるエネルギーはそれを単位とした整数倍の値に限られ、不連続なものとして量子化されることが納得できる。これが光量子の概念である。

光の波動性を示す証拠としては、干渉（複数の波が出会ったとき、増幅を起こす現象）や回折（波が障害物の後ろに回り込む現象）がよく知られている。これについてアインシュタインは光を空間的、時間的にある広がりをもって観測した場合は、こうした波としての特性が現れると指摘した。それに対し、熱放射のように空間的にも時間的にも幅がなく、局所的、瞬間的に起こる過程では、光はhνのエネルギーをもつ局在した粒子としての特性を表すと考えたのである。

では、波と粒子、どちらの〝顔〟を見せるのかは何によって決まるのであろうか。もちろん、そのときの光の〝気分〟というわけではない。それは光と物質との相互作用の仕方、平たくいえば光が置かれた環境によって決まってくる。

ひとつアナロジーをあげると、生物の中には潜在的にオスとメス両方の性をもっている種がいる。それらの種はエサの量や種類、成長期における周囲の温度などの環境によって、最終的にはどちらかの性に選別される。波と粒子の二重性についてもこれと似たことが起きる。

一九〇五年の論文でアインシュタインは光が粒子性を示す現象として、熱放射の他にも光電効果、光ルミネセンス（特有の物質に吸収された光が再放出される現象）、紫外線による気体の電離（イオン化）などをあげている。光電効果とは、固体に光を当てるとその表面から電子が飛び出してくる現象である。固体内に束縛されていた電子が光からエネルギーをもらい、その勢いで外へ叩き出されるわけである。一九〇二年、この効果を詳しく実験で調べたのが、ドイツのレーナルト（電磁波を検出したヘルツの門下生）である。

それによると、まず光電効果を起こすには、照射する光の振動数が固体の種類によって決まる一定以上の値でなければならなかった（振動数が高いほど光のエネルギーは大きくなる）。振動数がそれ以下だと、いくら強い光を当てても、電子は飛び出してこない。

次に、振動数がその値以上であれば、光が強くなるにつれ、飛び出してくる電子の数は増加し、電子の運動エネルギーの最大値も照射光の振動数（エネルギー）とともに大きくなることが明らかにされた。

以上の実験結果を、光が空間的、時間的に連続して広がる波として伝搬してくるとする従来の描像で解釈することはできないとアインシュタインは考えた。代わって、光をhνのエネルギーをもつ粒子（光量子）とみなし、それが電子と玉突きのように衝突する、つまり局所的な空間で瞬間的に生じる効果とみなせば、すべてうまく説明がつくと考えたのである。たとえてみれば、打ち寄せる波ではなく、光量子という〝弾丸〟が電子を狙い撃ちして、はじき飛ばすわけである。光ルミネセンスや紫外線による気体の電離も、同様に説明がついたのである。

こうして、アインシュタインは従来の常識を覆したわけであるが、波の特性を示す振動数と粒子の特性を示す運動量を結びつける式を導出している。運動量とは古典物理学の定義によれば、「質量」と「速度」の積で与えられる。ところが、光には質量はないのである。

詳細には立ち入らないが、質量をもたない光量子に新しい運動量を付与し、それと光の振動数を対応させる革命的な理論を、まだ二六歳の無名の学徒が打ち立てたのである。繰り返しになるが、柔軟な発想にもとづくこれほどの離れ業は、古典物理学の自然観にどっぷりと浸かった、当時の大家《たいか》にはなし得なかったことであろう。

ミクロの世界への探訪

ここで、いままでの歴史を整理してみると、普仏戦争（一八七〇〜七一年）→ドイツの鉄工業の振興→熱放射による高温測定→ベルリンの物理工学国立研究所創設（一八八七年）→熱放射の測定と理論のずれ→ヴィーンの放射公式（一八九六年）→ケルヴィンの〝暗雲〟とプランクの量子仮説（一九〇〇年）→アインシュタインの光量子仮説（一九〇五年）という流れがあったことがわかる。

ところで、一九世紀末から二〇世紀初頭にかけ、これと並行する形で、もうひとつ別の流れが生じていた。それは人間の五感では捉えられないミクロの世界への探訪である。そしてこの一連の流れが、ドイツの産業革命の中で起きた熱放射をめぐる流れと合流し、量子力学という現代物理学の基盤が築かれることになる。

一八五八年、ドイツのプリュッカーは放電管（排気したガラス管に電極を封入した器具）に電圧をかけ、放電を起こさせると、陰極から未知の放射線が出てくることに気がついた。これは「陰極線」と呼ばれるようになり、その正体解明は多くの物理学者の関心の的となった。

その研究に取り組んでいた一人が、光電効果のところで名前をあげたレーナルトである。レーナルトは放電管のガラス壁の一部を〝小窓〟のようにしてアルミ箔で置き換え、ここを通して陰極線を放電管の外へ取り出すことに成功した。こうすれば、陰極線が管の中に閉じ込められていたときに比べ、実験の幅が広がり、その性質をより詳しく調べられるようになる。この方法を使ってレーナルトは、陰極線が空気を電離する現象や空気中での拡散の仕方、写真乾板による飛跡の観測などを行い、一九〇五年（アインシュタインが光量子仮説を発表した年）にノーベル物理学賞を受賞している。

一八九五年、ドイツのレントゲンもレーナルトの方法にならい、アルミの小窓から陰極線を取り出して実験をしていたとき、偶然X線を発見することになる。放電管のスイッチを入れると、たまたま二メートルほど離れたところに置いてあった蛍光物質が光り出したのである。管のスイッチを切ると、蛍光物質の輝きも止まってしまった。

陰極線は空気中を高々数センチメートルしか透過できないので、それとは別に蛍光物質を光らせる、透過力の強い何かの放射線が出ていることは明らかであった。これもまた、正体が謎であったことから、未知数を表すXが名前につけられた（一九一二年、ドイツのラウエによってX線は可視光よりもエネルギーの高い電磁波であることが突き止められるが、正体が明らかになっても名称はそのまま残った）。

X線の発見は一八九五年の暮れ、「新種の放射線について」と題して発表された。する

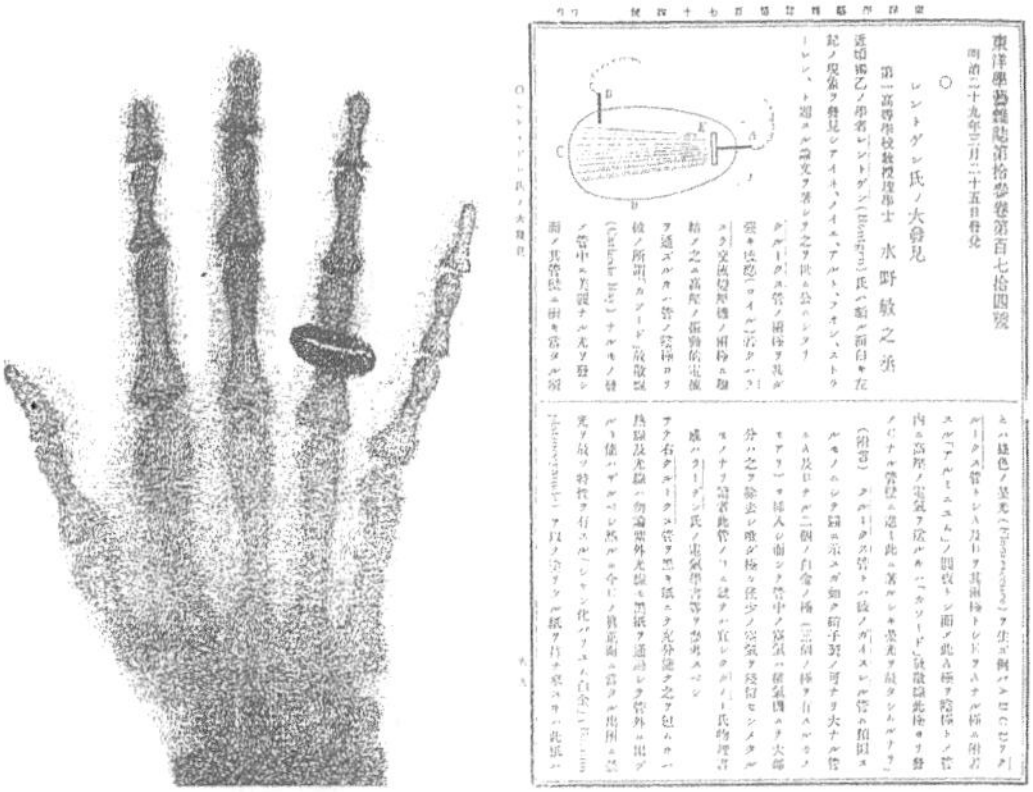

東洋學藝雜誌第拾參卷第百七拾四號
明治二十九年三月二十五日發兌
○
レントゲン氏ノ大發見
第一高等學校教授理學士　水野敏之丞

図3-5　『東洋学芸雑誌』（1896年）に掲載されたX線の記事

と、この報告はいまではすっかり有名になった手の骨が透けて見える写真とともに、瞬く間に世界中を駆け巡った。物理学界だけでなく世間に与えた衝撃の大きさもさぞやと思われる。日本でも翌年（明治二九年）早々、『東洋学芸雑誌』にX線を報じる記事が掲載されている（図3－5）。このとき、高知の尋常中学校に学んでいた寺田寅彦は日記（一八九六年四月五日）にこう書いている。

学芸雑誌を見るに巻首第一に、人目を驚かすに足るは今回独逸《ドイツ》なるRöntgen氏の発明にかかるX放射線を応用して、氏が自らの手の骨肉を分明に撮影せるものの縮写写真板なり。

（『寺田寅彦全集』岩波書店）

人目を驚かす写真とともに、X線の発見は物理学がミクロの世界の扉を開ける大きなきっかけとなった。

実際、X線の発見に触発されたフランスのベクレルは一八九六年、蛍光物質に光を当てるとX線が放射されるのではないかと予想し、ウラン化合物を用いて実験を行ってみた。すると、予想ははずれたものの、光を当てなくても自発的にウランはX線とは異なる何かの放射線を出していることに気がついた。このときベクレルは放射能（ある種の元素が放射線を出す能力）を発見したのである。これもまた、偶然の産物である。

さらに、放射能の発見に触発される形で一八九八年、マリー・キュリーと夫のピエール・キュリーがウランよりもはるかに放射能の強い新元素ラジウムとポロニウムを発見している。また、一八九六年にはオランダのゼーマンがナトリウム原子に磁場をかけて発光させると、黄色のスペクトルが変化することを発見する（これをゼーマン効果という）。ゼーマンからこの現象の報告を受けた指導教授のローレンツは、原子の内部には負電荷の粒子が運動しており、それが磁場の影響を受け、スペクトルに変化が生じると考えた。そして、ゼーマンの実験にもとづいて、粒子の電荷と質量の比（これを比電荷という）を計算した。

翌一八九七年、ゼーマン効果と符合する実験結果が報告される。イギリスのJ・J・トムソンが真空度を高めた放電管に電場や磁場をかけ、陰極線の進路がどれくらい曲げられるかを測定してみた（真空度を高めたのは、管内に気体が残っているとそれが陰極線によって電離され、電場や磁場の効果が弱められるからである）。すると、陰極線の軌跡の屈曲具合から、その正体は負電荷の粒子であり、比電荷の値はゼーマン効果のものと一致した。

J・J・トムソンは放電管の電極に使用する物質をいろいろ変えてみたが、陰極線の比電荷に変化は見られなかった。

以上の結果から、すべての種類の原子の内部には負電荷の粒子が共通して存在し、それが外へ飛び出してきたものが陰極線であることが明らかにされた。この粒子とは「電子」に他ならない。つまり、原子は物質の最小単位ではなく、電子という基本構成要素とそれ以外の何かに分けられることが突き止められたのである（それ以外の何かが正電荷の原子核であることは一九一一年、イギリスのラザフォードによって示される）。

さらに一八九九年、ラザフォードが放射性元素から生じる放射線は性質の異なる三種類に分けられることを明らかにした。後にそれらの正体はヘリウムの原子核、電子、高エネルギーの電磁波と判明する。

一九世紀末、製鉄現場の要請から始まった熱放射の研究が進む一方、時代を同じくして、実用性とは無縁の純粋基礎科学の分野で、こうしたミクロの対象の特性や構造が主要なテーマとして急浮上してきた。そして、この二つの流れがはからずもプランクの量子仮説によって合流し（ただし、当時プランクにはまだその認識はなかったわけであるが）、それに対しアインシュタインが光について「波と粒子の二重性」という古典物理学にはなかった解釈を与えたわけである。

“風が吹けば桶屋が儲かる”

その後、前述したように、原子核が発見され、原子の内部構造が明らかにされるようになると、こうしたミクロの対象にはもはやニュートン力学もマクスウェルの電磁気学も役に立たないという認識が深まってきた。つまり、万能と思われていた古典物理学には適用限界があったのである。換言すれば、一九世紀までの理論体系が成り立つのは、おおむね人間の五感で捉えられる範囲に限られていたことを、人々は知るのである。

そこで、五感を超えた世界を記述する新理論の構築に向けた動きが始まるわけであるが、その基盤となったのは、アインシュタインが光量子仮説を提唱する際に導入した「波と粒子の二重性」の概念である。

一九二三年、フランスのドゥ・ブローイがアインシュタインと逆の発想にもとづき、電子のように粒子とみなされている対象にも同時に波の性質が付随しているとする理論を発表した（これを物質波という）。いったい電子がどうやって波打つのだと狐につままれたような思いに駆られるが、その四年後、電子が光と同様、回折や干渉を起こし波として振る舞うことが、イギリスのG・P・トムソン（電子を発見したJ・J・トムソンの息子）とアメリカのデヴィソンらによって独立に実験で証明されるのである。

また、デンマークのボーアが一九一三年に発表していた原子構造論（原子核の周りを回る電子の軌道は不連続に変化するとするモデル）も、ドゥ・ブローイの物質波によって解釈がつけられることになる。

つまり、「波と粒子の二重性」という特性は光だけでなくミクロの対象すべてに成り立つものだったのである。一九二六年、この特性を定式化し、波動力学を構築するのがオーストリアのシュレディンガーである。また、一九二七年にはドイツのハイゼンベルクがやはり、この二重性から「不確定性原理」を導き出している。これによって、ミクロの世界ではニュートン力学のように原因と結果に一対一の対応がつかず、結果はある幅の不確定さをもって確率的にしか求められないことが示される。

こうして、一九二〇年代後半、我々の素朴な実感とは相容れない特徴をもつ、量子力学という新しい体系が誕生する。今日、素粒子論や物質のさまざまな性質を微視的な立場で研究する物性論、さらにはその応用から創出された各種のテクノロジーがめざましい発展を遂げたのも、量子力学が確立されたからこそといえる。

〝風が吹けば桶屋が儲かる〟というたとえがある。それをもじれば、本章でたどった歴史はさしずめ、〝普仏戦争が起きれば量子力学が生まれる〟とでも表現したくなるような流れであった。

量子力学をつくった若手の活躍

ところで、二〇世紀に入り、物理学に〝革命〟とも呼べる大転換をもたらした人々の顔ぶれを眺めてみると、当時の大家《たいか》は一人もおらず、皆とても若いことに気がつく。

量子力学の形成に寄与した主な理論家がそれぞれの業績をあげた年齢を見てみると、それがよくわかる（表3－1）。

この中では、波動力学を提唱したときのシュレディンガーの年齢がやや高いが――それでも三九歳というのはまだ若いといえる――、他の人々は二〇代後半から三〇そこそこで、科学革命の先導役となったわけである。彼らは皆、古典物理学の常識、固定観念に束縛されずに済んだ世代であり、自分たちの発想がどんなに奇妙に思われても、目の前に現れた不思議を直視し、自由で柔軟な思考を展開して、真理をつかみとったのである。

蓄積した知識の量よりも独創性が物をいうのが、自然科学、とりわけ物理学の理論分野

表3-1　量子力学の業績をあげたときの理論家の年齢

	業績	年齢（そのときの西暦）	ノーベル賞受賞年
アインシュタイン	光量子仮説	26（1905）	1921※
ボーア	原子構造論	28（1913）	1922
ドゥ・ブローイ	電子の波動性	31（1923）	1929
シュレディンガー	波動力学	39（1926）	1933
ハイゼンベルク	不確定性原理	26（1927）	1932
ディラック	相対論的波動方程式	26（1928）	1933

※アインシュタインのノーベル賞は1922年に前年度の賞として贈られた。第一次世界大戦により授賞に空白期間が生じていたため

の特徴であるが、古典論の殻を破った若手たちの活躍はまさにそれを如実に物語っている。

さて、量子力学が確立されるのは、ちょうど第一次世界大戦（一九一四〜一八年）と第二次世界大戦（一九三九〜四五年）の狭間にあたる。この狭間に、新しい理論体系をバックボーンにして一九三〇年代に台頭してくるのが、原子核と元素変換の研究である。この分野は初め、何かの応用を意図したものではなく、純粋にミクロの対象に対する基礎科学的好奇心から始まったのであるが、間もなく、そこに新しい莫大なエネルギー源の〝金鉱脈〟が潜んでいることが判明すると、展開は大きく変わっていく。

そこで、第4章では二つの大戦を誘発した不穏な国際情勢と科学とのかかわりを、エネルギーをキーワードにして見ていこう。

第4章　世界大戦と核物理学

——真理の探求はいかに歴史に巻き込まれたか

ここまで筆を執ってきて、あらためてしみじみと感じるのは、人間はよくもまあ、懲りずに絶え間なく戦争を繰り返してきたかということである。それでも一九世紀まではまだ軍事衝突を起こす当事国の数も、戦闘の規模や地域も——いまから見ればではあるが——、一定の範囲内に収まっていた。

ところが二〇世紀に入ると、その様相は大きく変化する。二つの世界大戦は戦禍のスケールを地球レベルに拡大し、それにより戦争の悲惨さはかつてなかったほど桁違いに増大した。

一方で、科学もまた、対象領域を爆発的に押し広げながら、新しい学問分野を創成し、進歩のスピードを上げてきたというのが、二〇世紀の特徴である。そして、その成果の一部は戦時に攻撃手段として使われ、戦争の展開の仕方をかつてないほど大きく左右することとなった。

科学をどのように利用するか、何の目的に使うかは偏《ひとえ》に人間の意思にかかっている。科学のもつ力が向上すればするほど、意思の決定の重大さも増してくる。そこで、第4章では、二つの世界大戦に科学そして科学者がどのようにかかわったかを見ていくことにしよう。

〝ヨーロッパの火薬庫〟と第一次世界大戦

二〇世紀の初め、バルカン半島（ヨーロッパ南東部に位置し、黒海と地中海との間に突き出た半島）はヨーロッパ諸国の利害が複雑に絡み合い、大きな武力衝突の危険性が極度に高まっていた地域であった。そうした緊迫した国際情勢から、そこは〝ヨーロッパの火薬庫〟と呼ばれるようになった。「火薬庫」という言葉は一触即発の状況を端的に表している。

実際、一九一二年、ロシアを後ろ盾にしてバルカン同盟を結成したセルビア、ブルガリア、モンテネグロ、ギリシャがオーストリアの支援を受けたオスマン帝国（トルコ）に対して第一次バルカン戦争を起こしている。これは同盟側の勝利で終わるが、オスマン帝国から奪った領土の分配をめぐり、一九一三年には戦勝国どうしで第二次バルカン戦争が勃発している。戦利品の争奪が次の戦争につながったわけであるから、どうしようもない。

これは二か月ほどの短期間で終結するのだが、翌一九一四年六月、ボスニア・ヘルツェゴヴィナの州都サライェヴォでオーストリアの帝位継承者フランツ＝フェルディナント夫妻がセルビア人の青年に拳銃で暗殺されるという事件が起きる。この地域はオスマン帝国の支配下にあったが、一九〇八年、オスマン帝国内で混乱が生じたのをきっかけに、オーストリアに併合されていた。

しかし、そこは南スラブ系の住民が多いことから、セルビアもボスニア・ヘルツェゴヴィナの編入をもくろんでいた。そうした緊張状態の中、サライェヴォを訪れていたフランツ＝フェルディナントが、民族主義者の銃弾に倒れたのである。

サライェヴォ事件の翌月、オーストリアはセルビアに宣戦、さらに八月には、オーストリアを支持するドイツがセルビアの後ろ盾のロシア及びロシアの同盟国であったフランスに宣戦、するとこんどはフランスと協商関係を結んでいたイギリスがドイツに宣戦布告をするという連鎖がつづいた。こうして、四年半に及ぶ第一次世界大戦が始まった。一発の銃弾によって火がついた〝ヨーロッパの火薬庫〟は瞬く間に爆発を起こし、手のつけようがない勢いで燃え上がったのである。

日本も日英同盟を盾にこの年の八月、ドイツに宣戦、山東半島（中国）にドイツが軍事基地を置く青島《チンタオ》や南洋諸島のドイツ領を占領した。また、一九一七年になると、ドイツが潜水艦による攻撃対象を中立国まで無差別に広げたことから、アメリカもドイツに宣戦布告をするに至った。スイスやスペイン、オランダ、北欧諸国などヨーロッパでも最後まで中立を守った国はあったものの、こうして日本やアメリカなども加わり、当事国の数や戦闘規模、地域において、世界史上かつてない大戦が引き起こされたのである。

戦争は長期化の様相を呈しつつあったが、アメリカの参戦により、一九一八年の秋にはオスマン帝国、オーストリアが休戦を宣言、そして最後まで抵抗をつづけていたドイツも一一月、ついに降伏、ここに第一次世界大戦は終結する。皇帝ヴィルヘルム二世はオランダに亡命して帝位を辞し、一八七一年に成立したドイツ帝国は崩壊するのである。

毒ガスの開発

ところで、この大戦に使われた新兵器に毒ガスがある。一九一五年四月、ドイツ軍はベルギーのイーブルの戦線で塩素ガスを用いた世界初の化学兵器による作戦を敢行、フランス軍に死者五〇〇〇人、重傷者一万人という甚大な被害を与えた。

国家の要請を受け、毒ガス開発の指揮を執ったのは、後述する「空中窒素固定法」の発明で一九一八年度のノーベル化学賞を受賞することになる高名な化学者ハーバーである(なお、この年度の物理学賞は「量子仮説」を提唱したプランクに贈られている)。第一次世界大戦当時、ハーバーはすでに四〇代半ばであり、ベルリンのカイザー・ヴィルヘルム研究所(現マックス・プランク研究所)の所長とベルリン大学教授を兼務する要職にありながら、軍籍に入り、ドイツ軍の将校として自らイーブルでの作戦に臨んでいる。それほどまでに国家への忠誠心が強かったというべきか。

しかし、ハーバーの妻は国家の要請があったとはいえ、科学者の良心を捨てたかのように大量殺戮《さつりく》作戦に走った夫の姿に苦しみ、その直後に自殺を遂げている。

図4-1　ハーバー（左）とアインシュタイン。1914年。2人はユダヤ人どうしで友人であった（A. ロビンソン、前掲書）

それでも、ハーバーは第一次世界大戦後もこの分野の研究から手を引くことはなく、チクロンBという物質を開発している。これは殺虫剤として製造されたものであったが、第二次世界大戦時には、収容所に送られたユダヤ人を殺す毒ガスとして多用されることになる。実はハーバー自身も一八六八年に現在のポーランドに生まれたユダヤ人であった（当時、ポーランドはプロイセン、オーストリア、ロシアに分割されており、国家として独立するのは第一次大戦の終結によってである）。

一九三三年、ヒトラーが政権を掌握すると、ユダヤ人であるが故にハーバーは国外追放の憂き目にあう。そして、この年、アインシュタインもアメリカに亡命した（図4－1）。毒ガスの開発によりイーブルでの作戦で果たした功績もドイツへの忠誠も、独裁者の前では通用せず、翌三四年、スイスのバーゼルで客死するという悲運が待っていたのである（それでも、収容所で自身が開発を手がけた毒ガスの犠牲になった多くの同胞の悲劇に比べれば、まだしもよかったというべきであろうか）。

〝天使〟と〝悪魔〟

さて、害虫を駆除するためにつくられた薬剤がやがて一転して、人間の命を奪う毒ガスとして悪用されたように、ハーバーのノーベル賞受賞理由となった「空中窒素固定法」の発明もまた、そうした功罪併せもつ二面性を秘めたものであった。科学はそれを使う人間によって、〝天使〟にも〝悪魔〟にもなり得ることを示す一例である。

ではまず、〝天使〟のほうの話から。窒素化合物は農業に不可欠な肥料として使われていたが、その原料となるのは硝石《しょうせき》（硝酸塩）という鉱物であった。その産地は主として南米のチリであったことから、国際紛争によっては輸入が難しくなるリスクがある。特にイギリスによる海上封鎖の可能性を危惧していたドイツにとって、これは大きな不安材料であった。また、人口の増加にともない農作物の増産がつづくと、天然資源である硝石がいずれは枯渇するおそれがあることも懸念され始めていた。

そうなると、化学的な方法により人工的に肥料として使える窒素化合物を合成する必要が出てきた。幸い、大気の四分の三は窒素である。つまり、素材は身近にいくらでも豊富に存在する。ところが、あいにく、窒素は不活性ガスであり、化学反応がきわめて鈍く、化合物を生成しにくいという難点があった。

一八八六年、ドイツのヘルリーゲルが、いくつかのマメ科の植物が根の中に窒素を固定するバクテリアをもっていることを発見している。このバクテリアが空気から窒素を取り入れて、アンモニア（窒素と水素の化合物）をつくっているのである。そこから、マメ科の植物を植えることで肥えた土壌を回復できることはわかったものの、かといってそれが肥料の生産に直接つながったわけではなかった（現在でも、バクテリアが行う反応のメカニズムはすべて解明されたわけではない）。

そこで、ハーバーは数百気圧の高圧のもと鉄を触媒にして、五〇〇℃で窒素と水素を反応させ、アンモニアを合成する方法を一九〇八年に発明した。これが空中窒素固定法である（固定とは化学反応しにくい窒素ガスから化合物をつくるという意味）。

さらに、ハーバーの方法を実用化し、アンモニアを工場で大量につくり出すことを可能にしたのがドイツのボッシュである。これによって、合成したアンモニアから肥料となる硝酸塩を製造できるようになり、農作物の生産高は一気に増大した。

では次に、〝悪魔〟のほうの話に移ろう。アンモニアの合成技術は火薬の製造にも役立った。つまり、ハーバーの発明のおかげで、ドイツは第一次大戦中も火薬庫が空になる心配がなく、戦争をつづけられたことになる。つまり、それだけ大戦が長期化する結果となった。

ただし、火薬は弾薬だけに使用されるわけではない。軍事的な目的以外にも社会で広く多用されている。したがって、その用途の多様性を考えると、前述したように、ハーバーが空中窒素固定法の発明によりノーベル化学賞に輝いたことは納得がいく。

事実、当初から、この発明の評価は高く、ハーバーは一九一二年、一三年、一五年、一六年、一八年、一九年と受賞するまでに六回、化学賞の候補に名を連ねている（"The Nobel Population 1901-1950" E. Crawford, University Academy Press）。なお、ハーバーも物理学賞のプランクも一九一八年度の受賞であるが、第一次世界大戦の影響で、授賞の決定は一九一九年一一月に行われている。

というわけで、受賞理由そのものはノーベル賞に十分値するものではあるものの、いかにそれと無関係な研究とはいえ、毒ガス開発の指揮を執り、敵国兵士に多くの死傷者を出す作戦にドイツ軍の将校として立ち会った化学者に賞を贈ることの是非は、議論を呼ぶところであった。

実際、フランスのジャーナリズムはハーバーはノーベル賞を辞退すべきと厳しく糾弾し、これに同調したイギリスとアメリカの非難はハーバーだけでなく、受賞者を選考するスウェーデンの王立科学アカデミーにまで及んだという（『毒ガス開発の父　ハーバー』宮田親平、朝日新聞社）。

一八九五年にノーベルが認めた遺言状には、「人類に最大の貢献をした人たちに賞を贈る」とある。空中窒素固定法は間違いなくこうしたノーベルの遺志に該当するわけであるが、そこにだけ光を当て、権威ある賞を与えてよいのか否かは、いまでも意見の分かれるところである。

戦死したノーベル賞化学者

ところで、ハーバーと同じ年にノーベル物理学賞を受賞したプランクの長男は、第一次大戦に出征し、戦死している。また、次男はフランス軍の捕虜になっている。一九一九年一二月一〇日、失意の中、ストックホルムの晴れ舞台にハーバーと共に立ったプランクの心境はさぞや複雑なものであったと思う（さらに、次男は第二次世界大戦末期の一九四五年初め、ヒトラー暗殺計画にかかわった嫌疑をかけられ、処刑されることになる）。

もう一人、同じような悲運に見舞われたノーベル賞受賞者に、一九二〇年、化学賞を贈られるドイツのネルンストがいる。ネルンストは絶対零度の極限において、エントロピーの変化はゼロに近づくという熱力学第三法則の提唱者として知られているが、二人の息子を大戦で失っている。

さらに、息子ではなく本人が戦場に散ったノーベル賞科学者もいる。「無細胞的発酵の発見」で一九〇七年の化学賞に輝いたドイツのブフナーである。ドイツにとって戦況が厳しくなってきた一九一七年八月、ブフナーはルーマニアの塹壕《ざんごう》戦で戦死している（第一次大戦では武器の性能の向上から、塹壕を掘って敵を攻撃する戦法が導入されていた）。

それにしても、不思議に思うことがひとつある。一八六〇年生まれのブフナーはこのとき五七歳である。いかに戦況が厳しくなっていたとはいえ、国家がこの年齢の人間を召集したとはまず考えられない。しかも、ノーベル賞を獲ったほどの著名な科学者を前線に送るとは思えない。

だとすると、ブフナーは愛国心に駆られ、自ら強く出征を志願したのであろう。銃をとるよりも、科学研究を介して国家にはるかに大きな貢献を果たすことができたのではないかと思うのだが。

もっとも美しい実験結果――モーズリーの法則

ブフナー戦死の報が入るちょうど二年前の一九一五年八月、ノーベル賞を確実視されていたイギリスの物理学者モーズリーがゲリボル半島（ダーダネルス海峡に接するトルコ北西部の半島）で、オスマン帝国軍の銃弾に倒れた。まだ二七歳という若さであった。二〇世紀に入ると、二〇代、三〇代のうちに偉大な業績をあげる科学者が多く登場したことは第

3章で触れたが（表3－1参照）、モーズリーもその一人である。

ここで、モーズリーの研究とかかわるX線の発生メカニズムについて簡単に述べておこう。

加速された電子が金属の中に突入すると、徐々にブレーキがかかり、やがて止まってしまう。この過程を通し、電子の運動エネルギーがX線に変換されていく。電子は金属に突入してから停止するまで、少しずつ減速しながら運動エネルギーを失っていくので、それに対応し、放射されるX線の波長も一定の幅の中で連続的な分布を示す。これを「連続X線」という。レントゲンが放電管の実験から偶然X線を発見したのは、このメカニズムによってである（ただし、この時点ではまだX線の発生メカニズムはもとより、その正体も不明であったが）。

これに対し、金属に突入した電子が漸次、エネルギーを失うのではなく、金属の原子に衝突して、いっぺんに運動エネルギーがX線に変換されるケースがある。この現象は金属に入射した電子が原子の中で核の周りを回る電子を、衝突の勢いで原子の外へ叩き出してしまうことによって生じる。その結果、核を回っていた電子の軌道に空席ができる。すると、その空席をめがけ、外側の軌道を回っていた電子が飛び降りてくる。つまり、高い位置から空きができた低い位置に電子が落っこちてくるのだ。このとき、落下前後の電子のエネルギー差に対応する波長のX線が放射される。

核を回る電子の軌道の大きさとそれに対応するエネルギーは不連続に変化し（第3章で述べたように、これがミクロの世界の特徴になる）、その値は元素に固有なものとなる。そこで、これを「固有X線」と呼ぶ。つまり、発生機構によって、X線は二種類に分けられ、固有X線の波長を測定すると発生源の元素が特定できることになる。

ここに注目したモーズリーは一連の金属元素から放射される固有X線を観測したところ、その波数（波長の逆数）の平方根が元素の原子番号に比例して増加することを発見した（原子番号とは水素が1、ヘリウムが2、リチウムが3……という具合に、質量が軽い順に周期律表に並べられた元素の順番）。この発見は一九一三年と一九一四年にイギリスの『フィロソフィカル・マガジン』に発表され、「モーズリーの法則」と呼ばれるようになる（図4－2）。

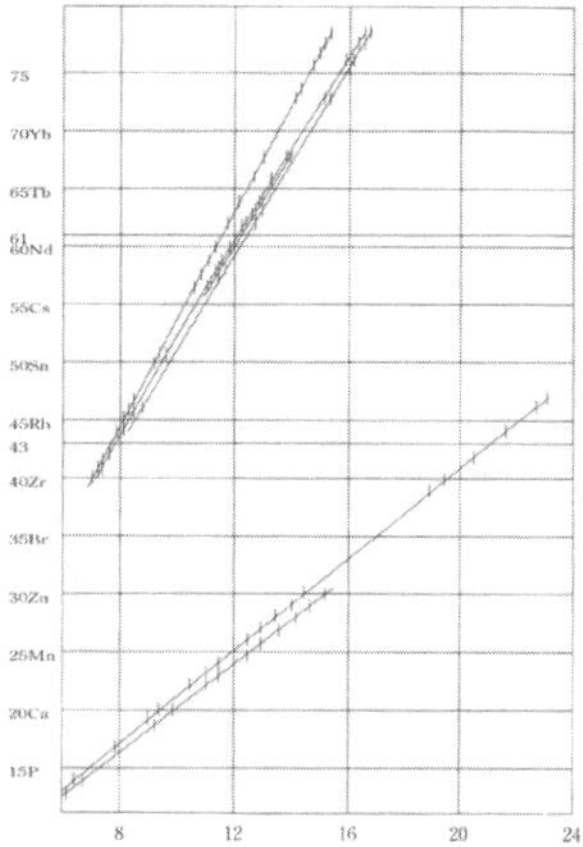

図4-2　モーズリーの法則。横軸は固有X線の波数の平方根、縦軸は原子番号と元素記号

モーズリーの法則をデンマークのボ

ーアが「もっとも興味深く、もっとも美しい実験結果」と評したが、図4－2はボーアの形容をよく表している。

この当時、周期律表はまだ完全には埋められてはおらず、空欄が虫食い状態のように散在していた。つまり、未発見の元素がいくつも残されていたのである。そこからモーズリーの法則はその後、未発見の元素を見つけ出す有力な手法として活用されるようになる。

この業績により、早くも一九一五年、モーズリーはノーベル物理学賞と化学賞の両方にノミネートされている。強力に推したのは、スウェーデン科学界の重鎮アレニウスであったが、選考の過程で、論文が発表されて間もないことから、今後モーズリーの研究がさらなる発展を遂げた時点で賞を贈ったほうがよいのではないかという結論に達し、この年の授賞は見送られた（E.Crawford、前掲書）。二七歳という若さを考えると、この判断は妥当であったと思われる。

しかし、この年の夏、モーズリーは戦場に散る運命にあった。彼に「今後」はなかったのである。

チャーチルとムスタファ＝ケマル

ここで再び、第一次世界大戦の戦況について触れておこう。イギリスがオスマン帝国と戦端を開いたのは、一九一四年一一月であった。翌年四月、ロシアとの連携を試みたイギリスはフランスと協力し、海軍大臣チャーチル（後の首相）の作戦のもと、ダーダネルス海峡とボスボラス海峡を突破して、ゲリボル半島に上陸した。

ところが、英仏の連合軍はムスタファ＝ケマル（後のケマル＝アタテュルク）率いるオスマン帝国軍の迎え撃ちにあい、壊滅的な敗北を喫する（ムスタファ＝ケマルは第一次大戦後、オスマン帝国政府に抗する仮政府を樹立、スルタン［イスラム圏の支配者］制度を廃止し、一九二三年、トルコ共和国を宣言、初代大統領に就任する人物である）。

それでも、チャーチルはゲリボル半島での作戦を変えようとはせず、八月、再び大部隊をダーダネルス海峡へ送る強攻策に出た。その中に、モーズリーの姿もあった。

モーズリーは第一次大戦が始まるとすぐに、出征を決意していた。一九一四年九月二八日、姉のマージュリーに宛てた手紙にこう記されている。

春ころまでには国家の役に立てるよう、すぐにも軍事訓練を始めるつもりです。当面、その先のことを考える必要はないと思います。いま、陸軍省の手引書に目を通し、モールス信号や手旗信号の練習をしています。

（"H.G.J.Moseley" J.L.Heilbron, University of California Press）

あれほどの大発見を成し遂げ、科学の面白さがわかってきた矢先に、モーズリーは研究生活を中断してでも、祖国の役に立ちたいと決意を固めたのである。彼の指導教授であったラザフォードは、陸軍に志願するというモーズリーの決意をなんとか翻意させるべく、説得にかかった。国家に奉仕する方法は必ずしも戦場に赴くことだけでなく、科学研究を通して貢献する仕方もあると必死に諭したのである。

しかし、モーズリーの決意は揺らぐことなく、所定の訓練を受け、陸軍工兵隊の将校に任官してしまった。

一方、ラザフォードも簡単には諦めなかった。彼は知己の間柄にあった科学行政の有力者グレイズブルック卿に、モーズリーを前線に送らず、軍事研究の仕事につけてほしいと懇願している。グレイズブルックはラザフォードの意を受け、関係機関に手を回したが、時すでに遅しであった。モーズリーが所属する第三八旅団を乗せた船は一九一五年六月三〇日、ダーダネルス海峡をめざし、すでにイギリスを出港していた。

八月六日、再度の上陸作戦を開始したイギリス軍は、八月一〇日、今度もムスタファ＝ケマルの軍隊の激しい攻撃を受けて敗退、モーズリーは頭に銃弾を浴び、戦死した。チャーチルはダーダネルス攻撃失敗の責任をとり、海軍大臣を辞任している。

チャーチルのノーベル文学賞

モーズリーが戦死してから一〇年後の一九二五年、スウェーデンのシーグバーンが「X線分光学の研究」でノーベル物理学賞を受賞した（一九二四年度の賞として）。このとき授賞式の挨拶で、同賞委員会のグルストランド委員長はX線分光学を開拓したモーズリーの業績を称え、「モーズリーはノーベル賞が贈られることがないまま、ダーダネルスで戦死しました」と追悼の言葉を述べている（『ノーベル賞講演、物理学4』講談社）。

授賞式の挨拶で、その年の受賞者の業績を紹介する中で、それに寄与した科学者たちの名前を掲げることは普通に行われている。しかし、「ノーベル賞が贈られないまま戦死した」とまで言及するのは、きわめて異例のことである。

グルストランド委員長がこうした発言を敢えて行ったひとつの理由は、有能な科学者が二七歳という若さで戦場に散ったことへの哀惜の念の強さであろう。そして、もうひとつは、時期尚早として、モーズリーをノーベル賞の系譜に加えることを延期した決定に対する悔恨だったような気がする。

一方、海軍大臣を引責辞任したチャーチルは二年後、軍需大臣に就任。第一次世界大戦後はいくつもの閣僚を歴任、第二次世界大戦が勃発する一九三九年には再び海軍大臣をつとめている。そして、翌四〇年には首相となり、戦時下の難局に、強い統率力を発揮して国民を指導している。

また、チャーチルは若いころ、インド出征や南アフリカ戦争において従軍記者として活動した経験があり、文筆にもすぐれた才能の持ち主であることが知られていた。そこから、一九五三年には「第二次大戦回顧録」により、ノーベル文学賞を贈られている。

チャーチルが強行し、無残にも失敗に終わったダーダネルスでの作戦により、〝幻のノーベル賞受賞者〟となったモーズリーの悲運を思うと、チャーチルの文学賞はなんだか歴史の皮肉のようにも感じられる。

第一次世界大戦と一般相対性理論

話は変わるが、一九一一年、一般相対性理論を構築する途上にあったアインシュタインは「光の伝播に対する重力の影響」と題する論文を発表し、光は天体の近傍を通過するとき、重力によって進路を曲げられ、その角度は天体の質量に比例するという計算結果を導き出している。

これは重力場（重力が作用する空間、たとえば星の周囲）と加速度系（加速度運動する座標系。身近な例をあげればジェットコースターや高速エレベーター）は物理学的に完全に等価とみなせる、換言すれば、実験や観測によって両者を区別することはできないという、アインシュタインの「等価原理」にもとづいている。簡単にいうと、光は直進しているつもりでも、観測者には進路が曲がって見えるのである。光は最短距離を最短時間で走るので、進路が曲がるということは時空そのものが重力によってゆがんでいることになる。

そこで、アインシュタインは皆既日食を利用して、自分の理論の正しさを検証してくれるよう天文学者たちに呼びかけた。皆既日食が起きると、太陽は全面が月に覆われて暗くなるので、いつもは太陽の輝きで見えない恒星の観測が昼間でも可能になるからである。つまり、恒星から出た光の進路が太陽の重力により曲げられる現象が見られることになる。

タイミングよく、一九一四年、東ヨーロッパで日食が起きることから、これに向けて観測準備が進められた。しかし、タイミングの悪いことに、第一次世界大戦が勃発、計画は中止されてしまった。

次のチャンスは一九一九年五月二九日に訪れた。第一次大戦が前年の一一月に終結していたことから、エディントンの指揮のもと、イギリスの観測隊が、日食観測の条件がよいアフリカ西海岸沖のプリンシペ島とブラジル北西部のソブラルに派遣された（図4－3）。このとき、彼らは日食の際、太陽の背後に位置する明るいヒヤデス星団の撮影を行った。

図4-3　ソブラルで用いられた日食の観測機器（A. ロビンソン、前掲書）

星団の光は太陽の重力により進路を曲げて、地球に届く。

その結果は約半年後の一一月六日に発表された。一般相対性理論は一九一五年に完成されており、アインシュタインはこれを使って光が屈曲する角度をさらに詳しく求めていた。その値は一・七秒であったが、それは観測値とみごとに一致したのである。

ロンドンの『タイムズ』（一九一九年一一月七日）はこのニュースを「科学の革命」という見出しをつけ、「宇宙の新理論、ニュートンの考え覆される」とセンセーショナルに報じている。

日食の観測から一か月後の六月二八日、ヴェルサイユ宮殿でイギリス、フランスなどの連合国側とドイツとの間で大戦の戦後処理を取り決める講和条約（ヴェルサイユ条約）が締結されている。

ところで、歴史をたどっていると、ときどき、〝もし……だったら〟という仮想問答をしてみたい衝動に駆られるが、〝もし、ドイツの抵抗がつづき、大戦の終結が半年遅れていたら、講和条約の締結が延期されただけでなく、日食観測も中止になり、アインシュタインの理論の検証も再度、持ち越しになったであろう〟と思われる。

大戦の展開は世界史だけでなく、天文学や基礎物理学の歩みにも大きな影響を与えたのである。

ブラックホールと膨張宇宙

第一次世界大戦の最中に成し遂げられた天文学と基礎物理学にかかわる重要な研究が、もうひとつ知られている。ドイツのシュヴァルツシルトが一九一六年、アインシュタインの重力場方程式（一般相対性理論の基礎方程式）から、後に「ブラックホール」と呼ばれるようになる超高密度の天体の存在を理論的に予言したことである。

シュヴァルツシルトはゲッティンゲンとポツダムの天文台長を歴任し、星の光度測定法や彗星の尾の蛍光放射の研究、星の表面におけるエネルギー輸送の理論などで知られる天文学者である。また、物理学の分野でも、初期の量子力学の発展に寄与する論文を発表している。さらに、数学の才にも秀で、アインシュタインの重力場方程式の特殊解（条件を特殊な場合に設定したときの解）を発見している。

それによると、星の密度がきわめて高くなると——たとえば太陽ほどの天体が半径数キロメートルくらいまで収縮すると――重力も強くなるため、時空のゆがみが増大し、その結果、光でさえもそこから脱出できなくなると予言された。これがブラックホールであり（ただし、こういう名称はだいぶ後になってからつけられた）、光も脱出できない領域の広がりは今日、「シュヴァルツシルト半径」と呼ばれている。

ところで、この論文を書いたとき、シュヴァルツシルトはロシア戦線に出征し、長距離砲弾の軌道計算の任にあたっていた。前線にあって軍事研究を命ぜられていながら、宇宙に思いを馳せ、重力場方程式と格闘していたというのであるから、その集中力と科学への情熱には驚かされる。プロイセン・アカデミーに送られた論文は、戦場を離れることができなかった本人に代わり、アインシュタインによって読み上げられた。

しかし、その後間もなく、シュヴァルツシルトは病に倒れ、天文台長の職にあったポツダムに搬送されたが、一九一六年五月、四二歳の若さで亡くなった。事実上の戦死である。アインシュタインは六月、プロイセン・アカデミーで追悼講演を行い、シュヴァルツシルトの多彩な業績を称えている。

ところが、意外なことに、アインシュタインはシュヴァルツシルトの天文学者としての足跡は評価しても、ブラックホールそのものは受け入れようとはしなかった。重力場方程式の解として数学上は可能でも、現実にはそこまで超高密度の天体が存在することはあり得ないと考えたのである。

その後、原子核の研究が進み、一九三八年、オッペンハイマー（第二次大戦中、ロス・アラモスの原子爆弾研究所所長をつとめ、原爆の製造を成功させる物理学者）とスナイダーが、大質量の星が核融合の燃料である軽元素を使い果たして一生を終え、重力崩壊を起こして高密度に収縮していく過程を記述する論文を発表しているが、これに対してもアインシュタインは何の関心も示さなかった。アインシュタインは終生、その見解を変えることはなく、自分が思い描く宇宙にはブラックホールの存在を認めなかったのである。

ところが、ヴェルサイユ条約が締結され、太陽の重力による光の屈曲が確認されてからちょうど一〇〇年にあたる二〇一九年四月一一日、「ブラックホールの直接観測に成功」というニュースが新聞、TVで大きく報じられた。

日本の国立天文台などの国際研究チームが世界六か所の電波望遠鏡を結び、五五〇〇万光年の彼方にあるブラックホールに周囲のガスが吸い込まれるとき発生する電波を観測、それを画像に変換して視覚化した写真が発表された。ドーナツ状に輝く光に囲まれた〝黒い穴〟がはっきりと見て取れる（図4-4）。

そういえば、かつて一般相対性理論をめぐって、よく似たような事例があった。

一九二二年、ロシアの数学者フリードマンはアインシュタインの重力場方程式を一定の

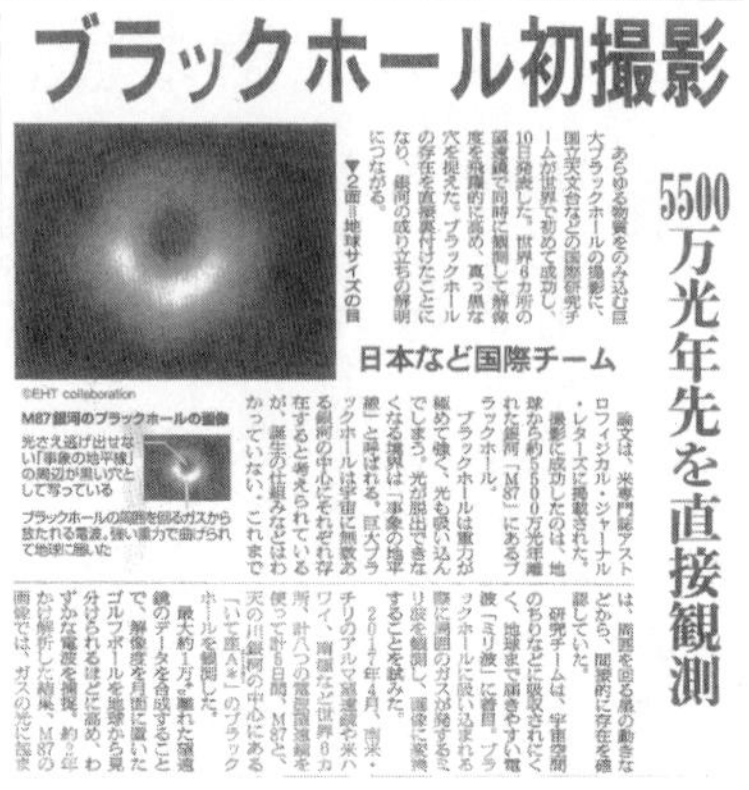

1　14版△　2019年(平成31年)4月11日(木)

ブラックホール初撮影

5500万光年先を直接観測

日本など国際チーム

あらゆる物質をのみ込む巨大ブラックホールの撮影に、国立天文台などの国際研究チームが世界で初めて成功し、10日発表した。世界6カ所の電波望遠鏡で同時に観測して解像度を飛躍的に高め、真っ黒な穴を捉えた。ブラックホールの存在を直接裏付けたことになり、銀河の成り立ちの解明につながる。

▼2面＝地球サイズの目

©EHT collaboration

M87銀河のブラックホールの画像

光さえ逃げ出せない「事象の地平線」の周辺が黒い穴として写っている

ブラックホールの周囲を回るガスから放たれる電波。強い重力で曲げられて地球に届いた

論文は、米専門誌アストロフィジカル・ジャーナル・レターズに掲載された。

撮影に成功したのは、地球から約5500万光年離れた銀河「M87」にあるブラックホール。

ブラックホールは重力が極めて強く、光も吸い込んでしまう。光が脱出できなくなる境界は「事象の地平線」と呼ばれる。巨大ブラックホールは宇宙に無数ある銀河の中心にそれぞれ存在すると考えられているが、誕生の仕組みなどはわかっていない。これまでは、周囲を回る星の動きなどから、間接的に存在を確認していた。

研究チームは、宇宙空間のちりなどに吸収されにくく、地球まで届きやすい電波「ミリ波」に着目。ブラックホールに吸い込まれる際に周囲のガスが発するミリ波を観測し、画像に変換することを試みた。

2017年4月、南米・チリのアルマ望遠鏡や米ハワイ、南極など世界8カ所、計八つの電波望遠鏡を使って計5日間、M87と、天の川銀河の中心にある「いて座A*」のブラックホールを観測した。

最大約1万キロ離れた望遠鏡のデータを合成することで、解像度を月面に置いたゴルフボールを地球から見分けられるほどに高め、わずかな電波を捕捉。約2年かけ解析した結果、M87の画像では、ガスの光に縁取

図4-4　ブラックホール撮影を報じる新聞記事（『朝日新聞』2019年4月11日）

条件を設定して、宇宙全体に当てはめてみたところ、宇宙が膨張をつづけていることを示す解を見出した。これについてもアインシュタインは、頑なに認めようとはしなかった。天才は宇宙とは静的で安定し、永久不変のものと考えていたからである。それは科学的な根拠にもとづくというよりも、アインシュタインの信念であったような気がする。したがって、フリードマンが導いた膨張という動的な姿の宇宙には強い拒絶反応を示したのである。

ところが、一九二九年、アメリカの天文学者ハッブルが銀河の観測から、宇宙の膨張を裏づけるデータを発表した。遠方の銀河ほど速いスピードで遠ざかっていくこと（ハッブルの法則）を、光の赤方偏移によって明らかにしたのである（一般に光源が観測者から遠ざかると、速度に応じて光の波長は長いほう、つまり赤いほうにシフトする）。

一九三一年、アインシュタインはウィルソン山天文台（カリフォルニア州）を訪れたと

き、ハッブルから銀河の光の赤方偏移を示す観測写真を見せてもらった。そして、その証拠に納得し、膨張する宇宙を認めたのである。

科学はなんといっても、実験データや観測データといった証拠が物をいう学問である。アインシュタインが素直に静的宇宙を捨てた背景には、科学に対するそうした考えがあったからである。だとすれば、二〇一九年に撮影されたブラックホールの写真を見せられれば、アインシュタインは前回と同様に、シュヴァルツシルトの理論を受け入れたのではないかと思う。

第3章で、すぐれた理論はやがて、提唱者を離れて一人歩きをし、科学を発展させていくという話をした。宇宙の膨張もブラックホールもまさに、そうした歩みを如実に表している。

ヒトラーと第二次世界大戦

さて、ハッブルの法則が発表された一九二九年の一〇月二四日、ニューヨーク株式市場で株価が大暴落する（暗黒の木曜日）。当時、すでにアメリカ資本は国際経済にきわめて大きな影響力をもっていたため、この出来事は世界的な規模の経済恐慌に波及する引き金となった。

とりわけ、敗戦国ドイツの経済はアメリカからの投資に依存する割合が高かったことから、アメリカ資本の相次ぐ撤退により、壊滅的な打撃を被った。そこで、一九三一年、アメリカ大統領フーヴァーがヴェルサイユ条約にもとづくドイツの賠償支払いの一時延期を発表した。さらにドイツはデフレ政策を推し進め、翌年戦勝国から賠償金支払いの廃止をとりつけたものの、過度のデフレ政策により経済は好転せず、失業率は悪化、社会の混乱を招き、国内政治は不安定化していった。

こうした状況の中、一九三二年の選挙で、ヒトラーを党首とするナチスが第一党に躍進した。ナチスの党名は国民社会主義ドイツ労働者党の頭文字をとったもので、国民の不安が募る大恐慌の時期に急速に台頭したファシズム政党である。翌三三年、ヒトラーはヒンデンブルク大統領により首相に指名されている。

ヴェルサイユ条約の破棄をめざして大ドイツ樹立とユダヤ人排斥をもくろむ政権の誕生を目にしたアインシュタインは、前述したように、この年、プロイセン科学アカデミーを脱退、アメリカに亡命している。三四年、ヒンデンブルクが死去すると、ヒトラーは総統(国家元首)の地位に就き、ナチスの独裁体制を確立することになるので、その直前、先手を打ってアメリカに渡ったアインシュタインの決断は正解だったといえる。そして三五年、ヒトラーは再軍備を宣言してヴェルサイユ条約を破棄し、ユダヤ人の公民権を剝奪《はくだつ》することになる。

　こうして暴走を始めたヒトラーは一九三八年、オーストリアを併合、また、ドイツ系住民の多いチェコスロヴァキアのズデーテン地方の併合も強行した。大ドイツ樹立のスローガンを着々と実行したのである。

　それでも、ヒトラーの領土拡大にかける野望は止まらなかった。一九三九年、ドイツはポーランドに侵攻、これに対抗し、ポーランドを支持するイギリスとフランスがドイツに宣戦布告――この時点ではまだ、ヨーロッパ地域での戦闘であったが――、これが導火線となって、第二次世界大戦が始まるのである。

　一九四〇年六月、フランスに進軍したドイツは一気にパリを占領した。このとき、歴史上有名なフランス人科学者ゆかりの地で、あるエピソードが生まれることになる。その科学者とはパスツールである。

　狂犬病のワクチンを開発したパスツールは一八八五年、この病気にかかった犬に咬《か》まれた九歳の少年ジョセフ・メイステルに初めてワクチンを接種し、少年の命を救ったことはよく知られている。この成功を機に、一八八八年パリに感染症の研究を目的としたパスツール研究所が創設された（一八九五年、パスツールは七二歳で亡くなっている）。その後、ここは微生物学や分子生物学の国際的に主要な研究機関に発展、ノーベル賞受賞者も輩出している。

一九四〇年、パリに入ったドイツ軍はこの名門研究所にも歩を進め、門番に向かって、パスツールの納骨堂の扉を開けるように命じた。それに対し、フランスが誇る偉大な科学者の尊厳を犯そうとする非礼な行為を許せなかった門番は、ドイツ軍の命令を聞き入れずに抵抗し、自殺したのである。この門番こそ、五五年前、犬に咬傷を受けながら、ワクチンの投与によってパスツール先生に助けられた、かつてのジョセフ少年であった。

さて、パリを占領したドイツは一九四一年四月、かつてヨーロッパの火薬庫と呼ばれたバルカンに侵攻、さらに同年六月、不可侵条約（一九三九年）を結んでいたソ連にも侵攻、独ソ戦が始まる。一方、ドイツ、イタリアと三国同盟（一九四〇年）を結成していた日本は一九四一年の一二月八日、真珠湾（ハワイ）のアメリカ太平洋艦隊を奇襲、太平洋戦争が勃発した。こうして、戦況は一気に世界規模の大戦へと拡大、アメリカ、イギリス、フランス、ソ連、中国などの連合国と三国同盟との戦いという構図ができあがったのである。

ところが、一九四三年、三国同盟の一郭が崩れることになる。イタリアがシチリアに上陸した連合国軍に敗れ、九月に降伏した。このころになると、ドイツも占領下に置いたフランス、ポーランド、チェコなどの地域で武装勢力による反撃に苦しみ始め、徐々に劣勢に追い込まれた。そして、四四年六月、連合国軍がノルマンディー上陸作戦を敢行すると、ドイツ軍は占領地域からの撤退を余儀なくされ、四五年四月、ついに首都ベルリンが陥落する。ここに至り、ヒトラーは自殺、ドイツは無条件降伏した。

三国同盟の中で最後まで残った日本も、一九四二年六月のミッドウェー海戦の敗北を境に戦況は不利となり、アメリカを主体とする連合国側の攻撃により、各地で後退を繰り返すようになる。そして一九四五年八月、アメリカが広島と長崎に原爆を投下、また、ソ連が一九四一年に調印されていた日ソ中立条約を破って満州、千島などに侵攻した。こうした事態を受け、八月、ついに日本も降伏、第二次世界大戦は終結した。

ファシズムと科学者の亡命

ここで話をいったん、第二次世界大戦前に戻すと、ナチスのメンバーとなり、ヒトラーを熱烈に支持したドイツ人科学者に、ノーベル物理学賞（一九〇五年）を受けたレーナルトがいる。

第3章で述べたように、レーナルトは光電効果の実験を重ね、照射する光の振動数と金属から放出される電子の運動エネルギーとの関係、そして光の強度と放出される電子の数との関係を明らかにした。こうした実験結果にもとづき、アインシュタインは光量子仮説を提唱し、波と粒子の二重性という斬新な概念を発表、それが量子力学へと発展していったわけである。

ところが、レーナルトは自らの研究が重要な役割を果たしていたにもかかわらず、アインシュタインの光電効果に関する解釈を受け入れようとはしなかった。それだけではない。レーナルトは相対性理論ですら、いんちきだと非難し、頭から否定したのである。もちろん、こうした主張は科学的根拠によるものではなかった。そうではなく、ユダヤ人に対する反感であり、アインシュタインはその象徴となっていたからである。

ヒトラーが首相に指命された一九三三年、彼の科学ブレーンをつとめるレーナルトは、ドイツの科学界からユダヤ人研究者を追放すべく精力的に動き出した。本章の初めに登場したノーベル賞化学者ハーバーも、追放運動の犠牲になった一人である。また、一九五四年に「波動関数の統計的解釈」でノーベル物理学賞を受賞することになるボルンもこの年、イタリアに亡命し、その後、ケンブリッジからの招きでイギリスに移住している。

レーナルトは一九三六年から三七年にかけ、全四巻に及ぶ『ドイツの物理学』を出版しているが、その中で「ユダヤ人には真理を理解する力はなく、真理を追究する熱意をもつアーリア人（非ユダヤ系白人）の科学者とは対照的である」と偏見に満ちあふれた主張を繰り返した。

同じような考えを抱き、レーナルトと歩調を合わせてアインシュタインの物理学を否定した大物に、「陽極線のドップラー効果とシュタルク効果の発見」でノーベル物理学賞（一九一九年度）を贈られたシュタルクがいる。

「シュタルク効果」とは簡単に述べておくと、光を放射する原子に強い電場をかけると光のスペクトル線が複数本に分裂する（つまり、光の波長が複数に変化する）現象で、一九一三年、シュタルクが水素原子について発見している。この現象は量子力学を使わないと説明できないことが明らかになり、同じく一九一三年にデンマークのボーアが提唱した原子構造論の正しさを示す有力な実験結果となった。私も学生時代、量子力学の演習の時間にシュタルク効果の計算をした思い出があるが、量子力学の教科書に取り上げられるほど基本的な項目になっている。

それにしてもである。数世紀前の近代科学の黎明期ならいざ知らず、二〇世紀において、しかもノーベル賞に輝いたほどの科学者がおよそ非科学的な理由から、ユダヤ系科学者の業績を抹殺しようとした行為は理解に苦しむ。相手に対しどのような嫌悪感を抱こうとも、科学の客観性、普遍性はそうした人間の生々しい感情を超えたところにあると思うからである。

こうしたレーナルトとシュタルクの姿勢について、次のような指摘がある。

レーナルトとシュタルクは、ヒトラーが権力の座に就く十年以上も前に、物理学の領域において国家社会主義とナチ科学の潜在的可能性への熱狂を先取りし、これらの確信のすべてを体現した人物だった。

（『ヒトラーの科学者たち』J・コーンウェル著、松宮克昌訳、作品社）

第一次世界大戦後に蔓延した排外的な民族主義に染まったのはノーベル賞受賞者とて例外ではなく、彼らの科学という営みに向ける目までを曇らせてしまった。そして、こうした流れは、さきほど概略を述べた第二次世界大戦へとつながっていったわけである。

奇妙で不気味な偶然の一致――一九三八年

第一次大戦終結から第二次大戦開戦に至る約二〇年（一九一八〜三九年）の間に誕生し、急速に発展した基礎科学の分野に原子核物理学がある。

これはあくまでも後から振り返ってみればの話ではあるが、ヨーロッパでファシズムがにわかに勃興する不穏な国際情勢と、本来、それとは無縁のはずの核物理学の研究があるときを機に、奇妙に同調し合うようになる歴史は不気味でもある。その〝あるとき〟とは――これまた奇妙な偶然に過ぎないが――、ドイツがオーストリアを併合し、その翌年には第二次大戦が勃発するという一九三八年である。

この年、ドイツのハーンとシュトラースマンがウランの核分裂を発見するのである。それから、シカゴ大学で世界初の原子炉が運転されるまでわずか四年、そして広島と長崎に原爆が投下されるまで七年足らずの時間しか要しなかった。どちらも核に潜在していた莫大なエネルギーの実用化がなされた故の結果である。核物理学という純粋な基礎科学の分野が、世界大戦という国際政治の波瀾の中で桁違いに大きなエネルギー革命へとつながっていったのである。

それではまず、核分裂が発見される一九三八年までの核物理学の進歩をたどってみることにしよう。

原子核物理学の発展

一九一一年、ラザフォードが放射線（正電荷のアルファ線）を原子にぶつける実験結果をもとに、原子の有核模型（原子には中心に正電荷が凝集した核があり、その周りを電子が回っているとする模型）を提唱、また、一九一三年にはボーアが電子の軌道の大きさは不連続に変化する特定の値しかとらないとする原子構造論を発表している。

これによって、原子のサイズ（一番外側の軌道の広がり）に比べ、核はその一万から一〇万分の一程度しかないほど小さいにもかかわらず、原子の質量のほとんどは核に集中しているという、今日よく知られた描像が出来上がったのである。このとき、ボーアは元素の化学的性質は核を取り巻く電子の数や配置の仕方によって決まり、放射能（放射線を出す能力）は核の構造に起因すること、そして電子の数は核の正電荷の数に規定されることなどを指摘している。

さて、核の存在が突き止められると、次にそれは何からできているのかが問題になり、一九一九年、ラザフォードによって陽子（正電荷の粒子）が、また、一九三二年、ラザフォードの門下生チャドウィックによって中性子（電荷をもたない粒子）がそれぞれ発見され、核の構成要素が出そろった。そして、「モーズリーの法則」のところで述べた元素の原子番号（水素の1から始まり、ウランの92へとつづく整数）は、核の中の陽子の数に対応することが示されたのである。

一九三四年、イタリアのフェルミが発見されたばかりの中性子を各種の元素に衝突させ、核の中でどのような反応が起きるのかを調べている。中性子は電気を帯びていないので、正電荷の核から電気的な反発を受けずに接近し、核に衝突しやすいと考えたからである。

すると、標的が軽い元素の場合は、核が中性子を吸収し、その反動で陽子かアルファ粒子（陽子と中性子が二個ずつの塊）が核から放出されるため、標的元素の原子番号が変化することが判明した。つまり、元素の変換（広義の〝錬金術〟）が起きたのである。

一方、標的が重い元素の場合は、核は陽子やアルファ粒子の放出をともなわずに中性子を吸収するので、元素の変換は生じなかったが、核の中の中性子の数が一個増えたことにより、標的にした元素の放射性同位体が生成される結果となった（同位体とは陽子の数が同じ——つまり、原子番号が同じ——で、中性子の数が異なる核をもつ原子）。この方法によってフェルミは自然界には存在しない人工放射性元素を、四〇種類もつくり出している。

なお、フェルミはこの研究で一九三八年、ノーベル物理学賞を贈られるが、このとき、後述するように、世界史にも深くかかわるような大きな出来事が起きることになる。

ところで、陽子と中性子が発見されると、核の中でこれらの粒子を結合させている力は何かという疑問が生じてきた。中性子は電気を帯びていないが、陽子は正電荷の塊なので互いに電気的な反発力が働き、核は爆発してしまうはずである。当時、電磁気力以外に知られていた自然界の基本的な力といえば、重力しかなかった。重力は引力として働くわけであるが、電磁気力に比べると桁違いに弱く、とても陽子や中性子（この二つをまとめて核子と呼ぶ）を小さな領域に押し込めておくには、まったく役に立たなかった。

そうなると、何か新しい力の作用を導入しなくては説明がつかなくなる。そこで、一九三五年に提唱されたのが、湯川秀樹の中間子論である（論文「素粒子の相互作用についてI」、図4－5）。
　一般に力の作用する空間を「場」というが、量子力学の体系の中で、場にも「波と粒子の二重性」を付与した「場の量子論」という捉え方が確立されてきた。湯川はこの考え方を用いて、核子を結合させる新しい力（核力）を核子どうしが「中間子」という新粒子のやり取りをすることで記述する理論を組み立てた。これによると、核力は電気的反発力をはるかに凌ぐ強さがあるものの、その作用が及ぶ範囲は核の中のきわめて狭い領域に限られるという特徴があった。なお、中間子という名称は、その質量が電子と核子の中間の大きさであることに由来している。

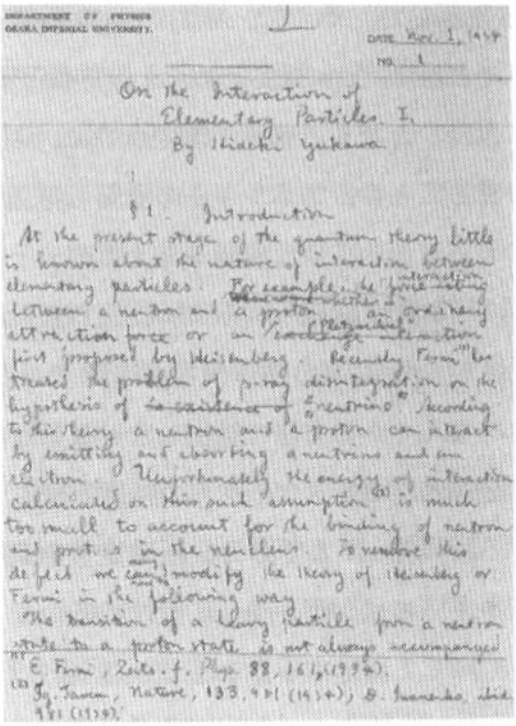
DEPARTMENT OF PHYSICS
OSAKA IMPERIAL UNIVERSITY.
DATE Nov. 1, 1934
NO. 1

On the Interaction of
Elementary Particles. I.
By Hideki Yukawa

§1. Introduction

At the present stage of the quantum theory little is known about the nature of interaction between elementary particles. ... between a neutron and a proton ... an ordinary attraction force or an exchange interaction first proposed by Heisenberg. Recently Fermi(1) has treated the problem of β-ray disintegration on the hypothesis of neutrino. According to this theory a neutron and a proton can interact by emitting and absorbing a neutrino and an electron. Unfortunately the energy of interaction calculated on such assumption(2) is much too small to account for the binding of neutron and proton in the nucleus. To remove this defect we may modify the theory of Heisenberg or Fermi in the following way.
The transition of a heavy particle from a neutron state to a proton state is not always accompanied

(1) E. Fermi, Zeits. f. Phys. 88, 161, (1934).
(2) Ig. Tamm, Nature, 133, 981 (1934); D. Iwanenko, ibid. 981 (1934).

図4-5　中間子論の論文の草稿
（『ノーベル賞の百年』改訂第2版、U. ラーションー編、ユニバーサル・アカデミープレス）

　一九四七年、イギリスのパウエルが宇宙線の観測を通して、湯川が予言した中間子を発見。これにより、一九四九年の湯川につづいて一九五〇年、パウエルにノーベル物理学賞が贈られることになる。

さて、フェルミが前述した実験に成功して以降、中性子照射により核反応を調べるさまざまな試みがなされてきたが、いずれの場合も標的にされた元素の核の一部が破壊される程度の反応しか観測されていなかった。つまり、原子番号の変化が2を超えるような現象は見られなかったのである。

ところが、一九三八年の暮れ、〝異変〟が起きる。ハーンと彼の門下生のシュトラースマンがウランに中性子をぶつけたところ、バリウムの放射性同位体が生じることに気がついた。ウランの原子番号は92であるのに対し、バリウムは56であるから、中性子の衝撃でウランの核が分裂し、サイズがほぼ半分のバリウムの核が放出されたことになる。つまり、原子番号の変化は実に36にも達していた。

この驚くべき実験結果は年が明けた一九三九年一月、ドイツの『ナトゥールヴィッセンシャフテン』誌に発表されたが、ハーンらは論文の中で、「生成された放射性同位体はバリウムと断定できるものの、核物理学のこれまでの常識に反するような結果を報告することにはためらいを覚える」と記し、戸惑いを隠そうとはしなかった。

核分裂の発見と女性科学者

ハーンらが戸惑いを覚えた実験結果に明確な解釈を下したのは、スウェーデンに亡命中であった女性科学者リーゼ・マイトナーと彼女の甥のフリッシュである。

マイトナーは一八七八年にウィーンで生まれたユダヤ人で、一九二六年、ベルリン大学教授となり、同時にカイザー・ヴィルヘルム研究所（かつてハーバーが所長をつとめた機関）にも在籍し、そこで同僚のハーンと放射能、原子核の研究に従事した、その道の第一人者である。その証拠に、マイトナーは一九三七年から四九年までの間に、ノーベル物理学賞に九回、また、一九二四年から四八年までの間に化学賞に一四回もノミネートされている。これほどの回数、候補者に名前を連ねた科学者は男女を通じて他には見当たらない。それでも、マイトナーはついに一度もノーベル賞の栄誉を手にすることはなかった。

二〇一六年、アメリカ大統領選挙で惜敗したヒラリー・クリントンが「高く硬く打ち砕けない〝ガラスの天井〟が依然として存在する」と語り、女性であるが故の無念さを滲ませた姿は印象的であった。マイトナーがこれほど注目されながら、結局はストックホルムの晴れ舞台に立てなかったという現実にも、〝ガラスの天井〟があったような気がする。

さて、一九三三年、ヒトラーが政権をとるとマイトナーの立場は厳しくなるが、ハーンの尽力も手伝って、なんとかベルリンに留まっていた。しかし、一九三八年、ドイツが彼女の祖国オーストリアを併合、これ以上、ベルリンにいては身に危険が迫ると感じたマイトナーはやむなく、ハーンとの共同研究を諦め、スウェーデンへ逃れた。皮肉なことに、その直後、ベルリンで起きたニュースを知ることになる。

ハーンらの実験について、マイトナーとフリッシュはこう考えた。ウランのように重い核になると同位体によっては、核は不安定な状態に置かれる。そこに中性子がぶつかってくると、水滴が大きく揺れ出すようにして核の不安定さが増大、ついには二つの塊（原子番号56のバリウムと36のクリプトンの核）に分裂したというのである。そして、分裂の際、同時に、ウランから複数の中性子がこぼれ出てくる（これを二次中性子という）。

このとき、エネルギーEと質量mの等価性を表すアインシュタインの世界一有名な式「$E=mc^2$」（cは光速）に従って、とてつもないエネルギーが解放される。そのスケールは化学反応のエネルギーの百万倍にも達するほどである。フリッシュは核分裂によって生じた塊のエネルギーを測定し、$E=mc^2$から求められる値と一致することを確認している。なお、「核分裂」という用語を初めて用いたのも、マイトナーとフリッシュである。

さて、そうなると、核分裂で発生した二次中性子を別のウランに衝突させることが効率よくできれば、核分裂は連鎖反応を起こし、かつて人類が手にしたことのない莫大なエネルギーが生み出されることになる。

ただし、ウランの中で核分裂を起こすのは、質量数235（陽子が92個、中性子が143個からなる核）の同位体だけで、これは天然に存在するウランの〇・七％程度しかない。

そこで、連鎖反応を進行させるためには、この有用な同位体の濃度を高める、つまり〝濃縮〟する技術の確立が必要になる。また、核分裂を誘発するには、ぶつける中性子の速度も重要になるので、それを制御する方法も模索しなければならない。

というわけで、乗り越えるべき課題はいくつも残されてはいたが、第二次世界大戦という非常事態が、新たなエネルギー源の開発を一気に加速させることになった。そして、舞台はアメリカへと移っていく。

ノーベル賞授賞式からの亡命

アメリカでの新エネルギー開発に重要な役割を果たした一人が、フェルミである。彼も新大陸への亡命の道を選んだからである。

イタリアではヒトラーとの連係を強めるムッソリーニのファシスト政府が一九三八年、ユダヤ人に対する人種法を発布した。フェルミ自身はそうではなかったものの、彼の妻がユダヤ人であったため、一家の生活が脅かされる危険が高まってきた。そこで、フェルミは妻子を連れアメリカへ移住することを決意し、落ち着き先に以前から教授職の提供を申し出ていたコロンビア大学を選んだ。そうなると、問題はイタリアを脱出するタイミングになる。

ちょうど、この年の秋、コペンハーゲンで開かれた物理学の会議で、フェルミはノーベル賞の有力な候補にあがっていることを、ボーアから内密に知らされた。このとき、フェルミはストックホルムからイタリアへ戻らず、そのまま、アメリカに渡ろうと決めたのである（『エンリコ・フェルミ伝』E・セグレ著、久保亮五・久保千鶴子訳、みすず書房）。

ボーアからそっと告げられたとおり、この年、フェルミは物理学賞を受賞する。そして、ストックホルムでの授賞式に臨み、「中性子の衝撃によって生成される人工放射能」と題する講演を行った後、妻と二人の子供とともに、アメリカへと向かったのである。

一家がニューヨークに上陸したのは、一九三九年一月二日であった。その四日後、ハーンとシュトラースマンの論文を掲載した『ナトゥールヴィッセンシャフテン』が刊行されるのである。

なお、余談ではあるが、フェルミ一家の〝逃避行〟を手助けしたボーアは、いったいどうやって、フェルミがノーベル賞確実という極秘情報を入手したのか謎が残る。ノーベル賞の選考過程と候補者名は授賞から五〇年間はいっさい公開されぬほどの厳格さが貫かれており、ましてやそうした情報が事前に漏れることなど、まずは考えられないからである。

気になったので調べてみると、一九三八年のノーベル賞にフェルミを推薦した科学者は一一名いる（そのうち、ノーベル賞受賞者は七名、表4－1）。また、物理学賞委員会はスウ

表4-1　フェルミをノーベル賞に推薦した科学者（1938年）

名前	国籍	ノーベル賞受賞年
E. バダリュー	ルーマニア	
L. ドゥ・ブローイ	フランス	1929
M. ドゥ・ブローイ	フランス	
A. コンプトン	アメリカ	1927
C. デヴィソン	アメリカ	1937
J. フランケル	ソビエト	
C. ラマン	インド	1930
O. リチャードソン	イギリス	1928
E. シュレディンガー	オーストリア	1933
G. P. トムソン	イギリス	1937
L. ティエリ	イタリア	

（E.Crawford, 前掲書より）

ェーデン王立科学アカデミーのプレイエルをはじめとする数名によって構成され、選考は特別に指名された内外の専門家の意見にもとづいて行われた。

となると、これらの人々の中の誰かから、フェルミに関する極秘情報がボーアに伝わり、それがフェルミに知らされたのであろう。運営規約に照らし合わせればルール違反という話になろうが、そこにはファシスト政権からフェルミ一家を守りたいという科学者たちの総意が働いていたのだと思う。いわば阿吽《あうん》の呼吸で連係プレーが行われたのかもしれない。当時の不穏で緊迫した国際情勢を物語る、ノーベル賞の裏面史である。

さて、アメリカに渡ったフェルミは一九四二年、原爆製造に向けてスタートした「マンハッタン計画」の中心的役割を担うことになる。一九四一年一二月、日本軍がハワイの真珠湾を攻撃し、日米に戦端が開かれると、アメリカは本格的に核開発に乗り出した。

その中でフェルミが主導するグループは、ウランの核分裂で発生した二次中性子の速度を制御する技術を確立し、一九四二年一二月二日、シカゴ大学に設けられた実験施設で核分裂の連鎖反応を起こさせることに成功、世界初の原子炉に〝火〟が灯されたのである。この歴史的瞬間に立ち会ったコンプトン（一九二七年ノーベル物理学賞受賞、表4－1参照）は、核開発を統轄する委員会の責任者で有機化学者ジェームズ・コナント（ハーヴァード大学総長）に暗号電話で、こう伝えたという。

「ジム、大ニュースだ。イタリアの航海者がたった今、新大陸に上陸したよ」（E・セグレ、前掲書）。

イタリア出身のコロンブスがアメリカ大陸に上陸したのは、一四九二年のことであった。それから四五〇年、コロンブスと同じように大西洋を渡ったイタリア出身の物理学者が、核エネルギーの利用という〝新大陸〟に到達したのである。

それから三年後の一九四五年七月一六日、ウラン２３５の濃縮とプルトニウム（一九四〇年に発見された原子番号93の「超ウラン元素」で、ウラン２３５と同様、核分裂を起こす）の製造に成功したアメリカはニューメキシコ州のアラモゴルド近くで、原子爆弾の最初の実験を行っている。そして、わずか一か月足らず後、その恐ろしい兵器は広島と長崎を一瞬のうちに一面の焦土と化した。

ところで、原子炉と原爆という核技術の開発がアメリカでこれほど短期間に急ピッチで実現できた背景には、なんといっても戦争という非常事態があった。連合国側には、ヒトラーが先に原爆を手にしたらという疑心暗鬼が増幅されていたからである（実際にはドイツにそうした計画はなかったことが戦後明らかになるのだが）。そして、繰り返しになるが、第二次世界大戦前数年の核物理学の一連の発展が、こうした強大なエネルギーを実用化できるだけの技術的なレベルに達していたわけである。

その計画の指導的立場にあったのは、フェルミ、ボーア、チャドウィック、オッペンハイマー、コンプトン、ローレンスなどの大物たちであったが、彼らの下には多くの若い俊秀が動員され、研究に従事した。その中には、終戦時まだ二五歳であったチェンバレン、二七歳のファインマン、三三歳のシーボーグなど、後のノーベル賞受賞者も含まれている。こうした若い研究者たちの能力を引き出し、柔軟な発想を集結させ得たことも、計画成功の大きな要因であった。

さて、核分裂を発見したハーンは、一九四六年に行ったノーベル賞記念講演（授賞年次は一九四四年の化学賞）の最後にこう述べている。

核物理学的な反応のエネルギーは人類の手中に与えられました。それが自由な科学的な知識の増進のためや、社会建設や人類の生活条件の向上のために用いられるか、あるいは人類が数千年かかって作り上げてきたものの破壊のために誤用されることになるのでしょうか？　その答はむずかしいものではないはずであり、そしてきっと全世界の科学者によって第一の可能性が切望されているにちがいありません。

（『オットー・ハーン自伝』山崎和夫訳、みすず書房）

第二次世界大戦後、ハーンのいう「破壊のための誤用」は幸いにして生じてはいない。しかし、地上から核兵器を廃絶する動きは遅々として進まず、直接の使用はなんとか回避されているものの、その脅威は相変わらず現存する。一九九〇年代の初め、米ソ間の冷戦は終結したが、人類はいまなお、核兵器という〝ダモクレスの剣〟の下に座らされている。

一方、ハーンがいう「第一の可能性」、つまり「核エネルギーによる社会建設や人類の生活条件の向上」についても、ハーンの時代に抱かれた〝ユートピア志向〟と現実は大きく乖離《かいり》しつつある。一九七九年、スリーマイル島（アメリカ）で起きた原子力発電所の放射能漏れ事故、また、一九八六年、チェルノブイリ（ウクライナ）の原子炉の炉心溶融事故による放射能汚染、さらには二〇一一年の東日本大震災による福島の原子力発電所の被害など、いったん事故や災害に見舞われると、核エネルギーは手の施しようのない暴走を始める。こうして現実に起きてしまった事故や自然災害に加え、最近ではテロによる危険も叫ばれるようになってきた。

核反応のやっかいで恐ろしいところは、原子炉内で生じ、蓄積された放射性物質が、なんらかの原因によって周囲に飛散、拡散してしまった場合、その放射能を人工的に消す方法がないということである。ミクロなレベルでの元素の変換は可能でも、原発事故などによるマクロなレベルではそれは到底不可能である。つまりは〝解毒〟や〝鎮火〟の方法がないわけで、これが化学反応による事故との本質的な違いである。

福島で原発事故が起きたとき、「想定外」という言い訳を何度も耳にした。しかし、想定外であろうがなかろうが、要するに、撒き散らかされてしまったマクロな量の放射性物質から放射能を取り除くことは原理的にできないことを知りながら、世界各地で原発が建造されてきた過去に問題の根源がある。

そう考えると、ハーンが核エネルギーの将来に期待を滲ませた「第一の可能性」に関しても、我々はやはり〝ダモクレスの剣〟の下に座らされているといわざるを得ない。

世界大戦の遺産

ところで、第二次世界大戦中、原子炉や原爆以外の分野でも、科学者は国家によって動員され、軍事関連の研究に従事させられている。その中で代表的な成果として、アメリカで進められたレーダーとコンピュータの開発があげられる。

レーダーは電波を対象物に放射し、その反射波を検出することで、対象物の方向と距離を決定する装置である。これによって敵の飛行機や艦船の位置を逸早く探知できることから、開発当初は難しいと考えられていた核エネルギーの解放よりも、レーダーの実用化にアメリカ政府は力を入れていた。戦後、この技術を生かしてレーザーや電波望遠鏡がつくられ、分光学や天文学の発展につながることになる。

コンピュータもまた、砲撃を行う際、正確な弾道を素早く計算する軍事目的で一九四三年に開発が始められた。ただし、第一号「ＥＮＩＡＣ」が完成するのは終戦の翌年（一九四六年）であった。真空管を用いた初代のコンピュータは重さ三〇トン、一五〇平方メートルもの床面積を必要とする巨大なものであり、一九五五年まで使用されている。ＥＮＩＡＣの後、コンピュータの性能アップと利用範囲の広がりはめざましいものがあり、二一世紀に入ってからは、ＡＩ（人工知能）の急速な成長が多方面に大きな影響を及ぼすようになっている。

なお、いま例示した諸研究はいずれも、多くの研究者を動員して組織的に目的遂行にあたる〝ビッグサイエンス〟と呼ばれる新しい形態を生み出すことにつながった。個人プレーからチームプレーへの転換である。

というわけで、最終の第5章では、二〇世紀後半以降、多様化する現代科学の諸相とそれにともなう、科学技術の巨大化の有様を概観していくことにしよう。

第5章　変貌する現代科学

——巨大科学は国家を超える

第二次世界大戦の終結から一九九〇年代初めまでつづいたアメリカとソ連の冷戦は、過去の歴史には見られなかった独特の緊張状態を国際社会の中につくり出した。超大国どうしが直接武力衝突を起こすことはなかったものの、核軍拡を競い合う、文字どおり不気味な冷たさに包まれた時代が到来したのである。こうした世界情勢は核戦争による人類滅亡の危険度を表示する「世界終末時計」にも敏感に映し出された。

戦争はいつの時代でも多くの人命を犠牲にし、国家、地域を破壊し、疲弊させてきたが、二〇世紀後半は、一度核のボタンが押されれば即、人類滅亡の危機につながるところまで来てしまったのである。

SF作家のアーサー・C・クラークが一九四九年にアインシュタインが語った、こういう言葉を紹介している。「第三次世界大戦がどのように戦われるかはわからないが、第四次世界大戦では何が使われるか教えてあげよう。石だ!」(A・ロビンソン、前掲書)。この〝寓話〟は核兵器を手にしてしまった人類の未来に、重い課題を投げかけている。

それではまず、この重い課題を前にして、世界の指導的立場の科学者たちはどのような行動に出たのかを見てみよう。

ラッセル=アインシュタイン宣言

第二次世界大戦下で核兵器を保有する国はアメリカだけであったが、一九四九年、ソ連が原子爆弾の実験に成功している。つづいて、一九五二年、イギリスも核保有国となり、同年、アメリカは水素爆弾の実験を行っている。さらにその翌年、ソ連も水爆の保有を発表するという具合に、核軍拡はエスカレートし始めた。また、大陸間弾道ミサイル（ＩＣＢＭ）などの開発も米ソによって競って行われ、冷戦の冷たさはその度合いをいっそう深めていく。

表5-1　ラッセル=アインシュタイン宣言の署名者

A. アインシュタイン（1921年物理学賞）
M. ボルン（1954年物理学賞）
P. W. ブリッジマン（1946年物理学賞）
L. インフェルト
F. ジョリオ=キュリー（1935年化学賞）
H. J. ムラー（1946年医学生理学賞）
L. ポーリング（1954年化学賞、1962年平和賞）
C. F. パウエル（1950年物理学賞）
J. ロートブラット（1995年平和賞）
B. ラッセル（1950年文学賞）
湯川秀樹（1949年物理学賞）

括弧内はノーベル賞受賞年次と部門。
インフェルトはアインシュタインとの共同研究経験もある
アメリカ（出身はポーランド）の物理学者

こうした未曾有の状況にあった一九五五年七月、高まる核戦争の危機に警鐘を鳴らしたイギリスの哲学者バートランド・ラッセルの提案にアインシュタインが賛同し、さらに九名の著名な科学者が名前を連ねた「ラッセル＝アインシュタイン宣言」が発表された（表５－１）。もし第三次世界大戦が起きれば核兵器が使用され、人類の存続そのものが脅かされると彼らは訴え、紛争を解決するには平和的な手段を見出す必要のあることを勧告したのである。

なお、アインシュタインはこの年の四月一八日にプリンストンで亡くなっていたが、七月九日、ロンドンのキャクストン・ホールで行われた記者会見で「宣言」が読み上げられると、冷戦下の国際社会の注目を集めた。そして、この宣言がきっかけとなり、二年後の五七年七月、カナダのパグウォッシュ村で、科学者たちが東西両陣営の壁を越えて核軍縮と世界平和について討議する国際会議（「科学と世界問題に関するパグウォッシュ会議」）が開かれた。

以降、パグウォッシュ会議は世界各地で開催され、その都度、核軍縮の必要性についての声明を発表してきた。その長年にわたる活動が評価され、一九九五年、パグウォッシュ会議とその創設に貢献したロートブラット（表5－1参照）にノーベル平和賞が贈られることになる。

ロートブラットはマンハッタン計画に動員されたものの、倫理上の理由から計画を離脱したイギリス（出身はポーランド）の物理学者である。一時にせよ原爆開発にかかわったことを悔やみつづけたロートブラットは大戦後、科学者の立場から平和運動に積極的に取り組んでいた。そして、平和賞が贈られた九五年には、パグウォッシュ会議の会長をつとめている（ちなみに、このときラッセル＝アインシュタイン宣言の一一名の署名者の中で、生き残っていたのはロートブラット一人である)。

さて、ノーベル平和賞を受賞したもう一人の科学者に、表5－1にあるアメリカのポーリングがいる。ポーリングは一九五四年、化学結合に関する研究で化学賞に輝いたのにつづき、六二年、核実験反対の運動を推進したことが評価され、平和賞の部門で二度目のノーベル賞を受賞している。

また、二〇〇九年には、その年にアメリカ大統領に就任したオバマがプラハで「核なき世界」を訴える演説を行った姿勢が評価され、ノーベル平和賞を贈られた。

しかし、残念ながら、こうした世界平和にかける動きを横目に、今日まで核を捨てた国はなく、逆に一九六〇年代から二一世紀にかけ、核保有国の数は増えているのが現実である。そして、国連を舞台に模索がつづけられている核不拡散条約の合意も大国間の利害が衝突する中、先行きはいまだ不透明である。

物理学に「エントロピー増大則」として知られる熱力学第二法則というものがある。簡単にいうと、世界は秩序ある状態から徐々に無秩序さを増し、ついには終焉に至るという流れを語っている。この流れに抗い、秩序を取り戻すためにはエネルギーを投入する必要がある。

核軍拡、核拡散はまさに、世界の平和という秩序を減少させる流れに乗っている。いま述べたような核なき世界をめざす運動や構想の提言という〝エネルギーの投入〟は見られても、〝エントロピーの増大〟を止め、秩序を回復するほどの効果は表れてはいない。

人間は互いに緊張関係にある相手と同じ武器を手にした場合、自らその武器を手放そうとはなかなかしない。疑心暗鬼の心理が働き、素手になったときの不安、恐怖を払拭できないからである。

ラッセル＝アインシュタイン宣言は、人間性を思い出し、他のことはすべて忘れようと訴えている。そして、それができれば、楽園への道がつながるが、もしできなければ、人類滅亡の危険性が我々の前に横たわっていると結ばれている。

第4章で述べたように、核物理学の進歩は〝パンドラの箱〟を開け、核エネルギーという〝怪物〟を外に出してしまった。その結果、核兵器という悪と原子力発電所の事故、被害という災いに見舞われる結果となった。ギリシャ神話によれば、封じ込められていた悪と災いが出ていった後、箱の底には希望が残されていたという。

ラッセル＝アインシュタイン宣言の言葉を借りれば、希望は人間性ということになるのであろう。平和運動を繰り広げてきた過去の歴史と現状を鑑みると、歯がゆい思いを拭いきれないが、希望が箱から顔を出すような新たな知恵と協力を期待する他はない。

核融合炉開発への取り組み

ところで、いままで触れてきた原爆も原子炉も、重い元素が核分裂を起こしたときに生じるエネルギーを利用している。

一方、水素のような軽い元素は核分裂ではなく、逆に核融合、つまり、核どうしが合体する際にエネルギーを放出する。たとえば、重水素D（陽子1個と中性子1個）と三重水素（陽子1個と中性子2個）が核融合を起こすとヘリウムHe（陽子2個と中性子2個）が形成され、余った中性子が1個放出される。このとき、反応前の重水素と三重水素の質量の和に比べ、反応後のヘリウムと中性子のそれは少し軽くなり、軽くなったぶんの質量が$E=mc^2$の式に従って中性子のエネルギーに転化される。太陽などの恒星が〝燃えている〟のは化学反応による燃焼ではなく、こうした核融合により輝いているわけである。

このように星が輝くメカニズムが解明されたのも、核物理学発展の産物であった（したがって、それまでは太陽が長期にわたってこれほど多量のエネルギーを生み出しつづけ、そのごく一部が地球の生命の進化を促してきたことは、謎であった）。

さて、前述したとおり、化学反応に比べ核反応は――それが核分裂でも核融合でも――桁違いのエネルギーを創出する。そこから、核融合を人工的に起こす、つまり、地上で〝太陽〟を輝かせて発電を行う「核融合炉」の開発が試みられてきた。

核分裂を利用した原子炉と異なり、核融合反応そのものからは放射性物質が生まれないという利点がある（ただし、生じた中性子が炉壁に衝突すると、放射性物質がたまる可能性はある）。また、火力発電のように二酸化炭素を排出することもないので、地球環境にもやさしいエネルギー源として期待できる。さらに、重水素は海水から取り出せるし、三重水素はリチウムからつくり出せるので、〝燃料〟が枯渇する心配もない。

というわけで、いいことづくめのような話ではあるが、これを実現するためには、原子核と電子がバラバラに分離した「プラズマ」と呼ばれる電離した気体を一定時間、太陽の内部をまねて超高温、超高密度の状態に保ったまま、閉じ込めておかなければならない。技術的にこれがものすごく難しい。原子炉は七〇年以上前の第二次世界大戦中に造られたのに対し、核融合炉が二一世紀に入っても未だ実用化の目途が立っていない最大の要因はこの点にある。

ここで、歴史を振り返ってみると、一九六〇年ころから、旧ソ連ではカピッツアを中心に核融合を制御して、新しいエネルギー源を開発する研究が開始されてきた。そのとき考案されたのが、「トカマク」と呼ばれる実験炉である（図5－1）。コイルで発生させた磁場を作用させ、高温のプラズマをドーナツ状の空間に閉じ込め、核融合を起こさせるという装置で（プラズマを構成する荷電粒子には、磁気の力が働き、運動が制御される）、そのとき必要な温度は一億Kから一〇億Kにも達する（Kは物理の測定に使われる絶対温度の単位で、0℃が約二七三Kにあたる。ただし、これほどの高温になると、℃で表しても同じようなものといえるが）。

他にも、ヘリカル型と呼ばれる別の構造の空間に、やはり磁気でプラズマを閉じ込める装置も考案されている。また、日本ではプラズマに強力なレーザー光をさまざまな方向から照射して高密度に凝縮させ、核融合を起こさせる実験がつづけられている（レーザー光は圧力がきわめて強いので、プラズマ粒子を狭い空間に押し込めることができる）。

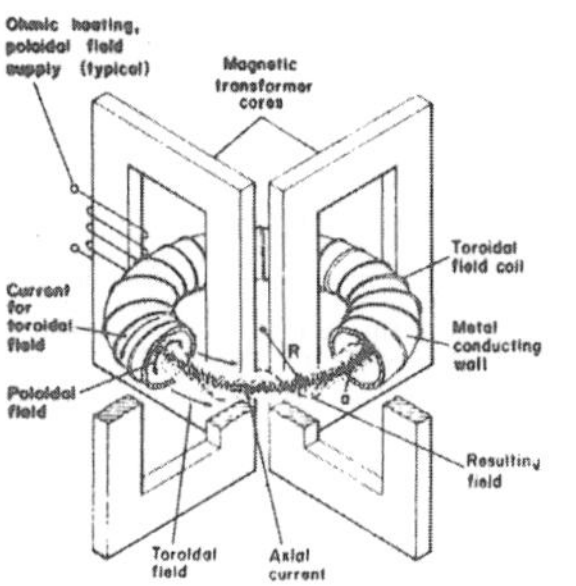

図5-1　トカマク型実験炉。1978年のカピッツアのノーベル賞講演より（“Nobel Lectures Physics 1971-1980”, World Scientific）

しかし、半世紀以上開発がつづけられているにもかかわらず、地上に〝太陽〟を灯すには至ってはいない。だが、現在、フランスで国際熱核融合実験炉（ITER）の建設が二〇二五年の完成をめざして進められている。ヨーロッパ連合（EU）、日本、アメリカ、ロシア、中国、韓国、インドが共同開発を行う国際プロジェクトで、実験炉は直径三〇メートルに及ぶトカマク型である（ちなみに、建設費は参加国の分担になるが、総額は二兆四〇〇〇億円と見積もられている)。

順調に計画が進めば、二〇三五年に運転を開始する予定だが、この時点では発電は行わず、実用化に向けたデータの集積にあたるという。それをもとに、安全性や経済性をチェックしながら、各国が発電を行う核融合炉の建設を検討することになるのであろうから、道のりはまだまだ遠いといわざるを得ない。

一九世紀の前半、熱機関(蒸気機関のように熱を利用して稼動する装置)の効率を理論的に研究し、熱力学の基礎を築いたフランスのカルノーがいみじくも『火の動力についての考察』(一八二四年)の中で、「熱機関を建造する上で、効率の向上と経済性の重視は条件のひとつに過ぎず、二次的なことである。それよりも優先させねばならぬことは、機関の確実さ、堅牢さである」と指摘している。つまり、何よりも安全性を第一に、開発、建設に取り組むべきといっているのである。原子力発電所が引き起こした災厄を振り返ると、二〇〇年も前に発せられたカルノーの言葉の重みを、あらためて痛感させられる。

核融合炉は原子炉に比べ燃料を調達しやすく、放射性廃棄物も出さず、制御もしやすいと考えられていることなどから、次世代の有力なエネルギー源として注目されている。しかし、研究が開始されてから半世紀以上経っても、実用化には道半ばの状態にあることから、解決すべき課題は山積している。それだけに、カルノーの警鐘を忘れることなく、安全第一主義で国際的なこの巨大プロジェクトを進めてもらいたいと思う。

もう一度ギリシャ神話を引用すると、天上の火を盗み人間に与えたプロメテウスはゼウスの怒りをかい、責め苦を受けることになる。核融合という〃天上の火〃を地上にもたらそうと努める現代科学が、プロメテウスの二の舞にならない慎重さがいま、求められている。

国際宇宙ステーションの運営

さて、国際熱核融合実験炉の建設でもうひとつ注目すべき点は、七つの国と地域（EU）が協力する共同プロジェクトとして進められていることである。さまざまな問題においてアメリカとの対立、軋轢《あつれき》が絶えることのないロシアや中国も、この新エネルギー創出に関しては目的を共有し、建設費を分担して、アメリカと歩調を合わせている。

オリンピックを「平和の祭典」と形容することがよくある。こうした巨大科学の国際プロジェクトを〃祭典〃とは呼ばないが、全人類に共通する平和利用の技術開発を東西陣営（資本主義諸国と社会主義諸国）の垣根を取っ払って、しかも長期にわたって一緒に取り組んでいるという状況は、オリンピックのような関心を集めることはないものの、国際社会の安定化に一役買っているといえる。平易ないい方をすれば、オリンピックのように、皆が仲良くできる場とチャンスをつくり出しているのである。

核軍縮、核不拡散の動きが遅々として進まない中、一方で、国際熱核融合実験炉のように一致して共同歩調がとれる巨大プロジェクトが存在することは意義深いものがある。それはラッセル＝アインシュタイン宣言の一節にある、「他のすべてを忘れ、人間性を思い出そう」という精神にもつながるのではないだろうか。

似たような思いを抱く巨大科学の一例に、国際宇宙ステーション（ISS）の建設、運用があげられる。この計画がスタートしたのは、世界がまだ米ソの冷戦下にあり、EUの統合がなされる前の一九八八年であった。参加したのはアメリカ、ヨーロッパ諸国、日本、カナダである。その後、九一年に旧ソ連が崩壊、ロシアも加わることになった。宇宙ステーションを構成するパーツを軌道上に打ち上げる作業は九八年に始まるが、それにはアメリカのスペースシャトルとロシアのロケットが担うようになった。

また、宇宙飛行士の送り込みと帰還には当初、スペースシャトルも使われていたが、スペースシャトルが運行を停止した後は、ロシアのソユーズがその任にあたっている。ロシアのロケットにアメリカ人宇宙飛行士が乗り込むなどということは、冷戦下では夢想だにできなかったことであろう。日本からも、日本人女性初の宇宙飛行士となった向井千秋ら一一人（二〇一九年現在）がISSでの活動を行っている。

こうした宇宙飛行士の参加に加え、日本は実験棟「きぼう」の建設や物資をISSに輸送する補給機「こうのとり」の運用などで貢献している。

一九六一年、ソ連が初めて有人宇宙飛行に成功したとき、「ボストーク一号」に乗ったガガーリンは「地球は青かった」という名台詞を残した。ガガーリンの目に映った地球は、宇宙にぽっかりと浮かぶオアシスのように見えたのであろう。美しく、あたたかみを感じる言葉であり、人間性を喚起させる一言である。宇宙のオアシスで戦争を繰り返す人間の愚かさを教えてくれる思いに駆られる。

図5-2　ソ連が世界で初めての有人宇宙飛行に成功した「ボストーク1号」

ところが、翌六二年、キューバ危機が起きる。キューバがソ連のミサイル基地建設の受け入れを決定したことから、それを阻止すべく、アメリカのケネディ大統領は海上封鎖を断行、米ソの核戦争の危機が懸念されるまでの緊張が世界中に走った。幸い、アメリカのキューバに対する内政不干渉を条件にソ連がミサイル基地を撤去することで合意が得られ、危機は去ったが、核戦争が現実味を帯びた出来事として記憶されている。このとき、ケネディとソ連のフルシチョフの脳裡に、「地球は青かった」というガガーリンの言葉は浮かんだのであろうか。

さて、宇宙開発ではソ連に一歩先を越されたアメリカでは、ガガーリンの快挙から一か月後、ケネディが上下両院合同会議で演説を行い、「アメリカは六〇年代の終わりまでに人間を月に送り、無事、地球に帰還させる」と熱い決意を述べた。六三年、ケネディは暗殺者の凶弾に倒れたが、彼が約束したとおり、六九年七月二〇日、「アポロ11号」に乗った三人のうちの二人の宇宙飛行士が月面に一歩をしるし、「静かの海」に星条旗が立てられた。

このとき持ち帰ってきた月の石が七〇年に大阪で開かれた万国博覧会で展示され、話題となった。当時、大学生であった私も長蛇の列に並び、容器の中に麗々しく収められた月の石を眺めた思い出がある。

なお、「アポロ11号」の三年前には、ソ連の探査機「ルナ9号」とアメリカの探査機「サーベイヤー1号」が相次いで、月面への軟着陸に成功している。という具合に、冷戦下では米ソの間で宇宙開発の分野でも、激しい競争がつづけられていた。相手より一歩でも先を行き、優位に立とうとする意識だけが先行し、力を合わせて大きなプロジェクトを遂行するという姿勢は見られなかった。

そう考えると、両大国は相変わらず、さまざまな衝突課題を抱えてはいるものの、この国際宇宙ステーションのようなプロジェクトが国家をまたいで行われていることは、世界平和の観点から見ても意義ある試みといえる。ガガーリンはたった一人で地球を眺めていた。これに対しISSでは同時に、国籍の異なる複数の宇宙飛行士たちが地球を眺めている。そこから青い惑星に共存する人間としての連帯感、仲間意識が自然と強まってくるのではないだろうか。

素粒子実験装置の巨大化

ところで、核融合実験炉や宇宙ステーションのような応用技術の分野だけでなく、純粋な基礎科学の領域でも研究形態は巨大化し、それに合わせて、国家、民族、宗教を超えた国際プロジェクトが盛んになっている。「科学者には国境があるが、科学に国境はない」というのは、誰か歴史上の人物の言葉であったと記憶しているが、普遍性、客観性を旨とする科学の研究スタイルは、国境をなくしつつある。その典型的な事例を、素粒子物理学の実験に見ることができる。

第二次世界大戦後間もない一九五四年、ヨーロッパ各国が協力し、共同研究を行うことをめざして、ジュネーブ郊外のスイスとフランスの国境をまたぐ所に、欧州合同原子核研究機関（CERN（セルン））が設立された。当時、アメリカを中心に素粒子の実験では高エネルギー衝突装置の大型化が進められていたが、ヨーロッパでもそれまで戦争をしていた国どうしの間で、協力体制を敷き、研究力を高めようという合意が形成されたのである。

さきほど、オリンピックを引き合いに出したが、CERNのような国際的共同研究機関の運営はスポーツだけでなく科学という文化を通しても、人々は絆を深めることができることを示している。ここで少し、具体的な成果についても触れておこう。

一九六〇年代の後半、素粒子が崩壊するとき働く力（これを弱い相互作用という）は、ウィークボソンと呼ばれる、質量が陽子の一〇〇倍もある重い粒子によって伝えられると考えられていた（この理論を提唱したアメリカのグラショウとワインバーグ、パキスタンのサラムは一九七九年、ノーベル物理学賞を受賞している）。そこで、一九七六年、CERNでは理論的に予言されていたウィークボソンの検出計画がスタートした。その実験を担ったのは、スーパー陽子シンクロトロン（SPS）という、当時最新鋭の直径二・二キロメートルに及ぶ円型の大型加速器である。この中で、陽子と反陽子（負電荷をもつ陽子の反粒子）をそれぞれ反対回りに光速近くまで加速してから衝突させ、そのエネルギーでウィークボソンを発生させようというもくろみである。

予備実験を経て、一九八二年には、高い精度で陽子と反陽子の衝突を十分な頻度で観測できるようになり、一九八三年一月、そのデータからウィークボソンの検出が発表された。CERNの実験結果は『フィジックス・レターズ』誌に掲載されたが、その論文には国籍がさまざまな、実に一三五人もの実験に携わった物理学者の名前が並んでいる。大型加速器を稼動し、膨大なデータをコンピュータで解析するには、いくつものグループが役割分担し、これだけの人数が必要になってくるわけである。まさに国際化した巨大科学の象徴であった。

なお、ウィークボソンの発見には一九八四年、ノーベル物理学賞が贈られたが、授賞の栄に浴したのは、一三五人のうち、イタリアのルビアとオランダのファン・デル・メーアという二人のリーダーだけであった。パグウォッシュ会議がそうであったように、ノーベル平和賞は個人だけでなく、団体にも贈られる。ところが、科学の三部門（物理学、化学、医学生理学）では、毎年各部門とも受賞者は三人までという人数制限が設けられており、団体への授賞は行われない。

それは、科学業績の顕彰は個人の独創性を評価すべきものという考え方が、いまも根強いからであろう。確かに、ノーベルの時代の科学界は個人あるいはチームといっても少人数の科学者が、独自に研究を行っていた。しかし、二〇世紀後半以降、研究形態は大きく様変わりしてしまった。それはノーベル賞の選考のあり方にも問題を投げかけている。

ところで、ウィークボソンの論文には一三五人の物理学者が名前を連ねていると書いたが、最近の素粒子実験はそれですら〝小規模〟に見えるほど、さらなる巨大化の一途をたどっている。

二〇一二年、CERNは約四〇〇〇億円を投じて建設した大型ハドロン衝突装置（LHC）を使って、光速の九九・九九九九九七％まで加速した陽子どうしを正面衝突させ、ヒッグス粒子という質量の源になる粒子の発生に成功している。このとき用いられたLHCは建設費もさることながら、円周約二七キロメートルという巨大さである（これに比べると、ウィークボソンを発見した直径二・二キロメートルのSPSですら、かわいらしく見える）。

さらに巨大化はもうひとつある。実験にかかわったチームの総人数である。ヒッグス粒子発見の論文は翌一三年、『フィジックス・レターズ』誌に発表されたが、私はそれを見たとき驚いた。著者の数が三〇〇〇人を超えていたからである。国籍も多岐にわたっていた（この点に関しても、ウィークボソンの論文の一三五人という著者数が小規模に見える）。

なお、この年のノーベル物理学賞は、ヒッグス粒子の存在を一九六〇年代――つまり半世紀も前――に理論的に予言した、ベルギーのアングレールとイギリスのヒッグスに贈られた。理論の検証にこれほどの時間を要したのは、ヒッグス粒子を発生させるために必要な超高エネルギー状態を、瞬間的、局所的に生み出すCERNの加速器（LHC）のような装置の建造が技術的に難しかったからである。

ノーベル賞を贈られたとき、二人の理論物理学者はともに八〇代の高齢になっていたが、「自分たちが提唱した理論が、生きているうちに実験で検証されるとは思わなかった」というヒッグスの言葉が、そうした状況を端的に物語っている。

なお、興味深かったのは、このとき、CERNのチームからは誰もノーベル賞に選ばれなかったことである。三人の枠があるはずなので、もう一人、受賞者が出ても不思議ではない。また、同じテーマに関して、理論家と実験家の両方から選出されればまりがよい。しかし、そうはならなかった。

CERNの実験チームは三〇〇〇人を超える大所帯とはいっても、役割の重さ、貢献度には、チームの中で自ずと順列があろう。プロジェクトを立案し、牽引した指導的な立場の人間は、ある人数に絞られると思う。とは思うが、それでも、そこから残り一枠に入れるべき人物を選び出すのは、至難の業であったような気がする。

そして、プロジェクトを遂行するのに、国境を越えて、これだけ多人数の物理学者が集結する必要があったとなると、評価すべき対象はリーダー役の個人なのか、それともチームなのかは判断の分かれるところであろう。CERNから三枠目として、敢えて一人だけを選べば、「一将功なりて万骨枯る」というような印象を与えかねない。

ここにも、今日、科学が研究費の面でも、実験装置のスケールにおいても、研究に携わる人間の数に関しても、一世紀前とは比較にならないほど巨大化してしまったが故に、ノーベル賞の選考ルールがそのままでは適用しにくくなってしまった現状が見て取れる。

ブラックホールの撮影と国際ネットワーク

いままで述べてきたような現代科学の特徴を顕著に示すもうひとつの具体例として、電波天文学に目を向けてみよう。

ガリレオの時代から二〇世紀半ばまで、人間は光学望遠鏡によって天体観測を行ってきた。つまり、可視光だけで宇宙を眺めていたわけである。ところが、第二次世界大戦中、レーダーをはじめとする電波技術が急速に進んだことから、戦後、その応用として電波望遠鏡が開発された。可視光よりも波長の長い電磁波（一ミリメートルから三〇メートルの電波）を捉え、宇宙のより多くの情報を得られるようになったのである。

この新しい分野を開拓したイギリスのライルと、電波の観測からパルサーと呼ばれる新種の天体（一定の規則正しい周期で、パルス状の電波を放射する天体）を発見したイギリスのヒューウィッシュは一九七四年、ノーベル物理学賞を受賞している。その後も、表5－2にまとめたように、電波天文学の発見はノーベル賞に反映され、この分野の伸長ぶりがう

表5-2　電波天文学分野のノーベル物理学賞

1974年	M. ライル　電波天文学、特に開口合成の技術の発見 A. ヒューウィッシュ　パルサーの発見
1978年	A. A. ペンジァス　宇宙背景放射の発見 R. W. ウィルソン
1993年	R. A. ハルス　重力波の間接観測による新型パルサーの発見 J. H. テイラー
2006年	J. C. マザー　宇宙背景放射の異方性の発見 G. F. スムート

かがえる。

第4章で触れた、二〇一九年四月の「ブラックホールの撮影に成功」というビッグニュースもそのひとつといえる。世界六か所（南米チリ、ハワイ、米アリゾナ州、南極点、スペイン、メキシコ）に設置された八つの電波望遠鏡を用いて、五五〇〇万光年かなたにあるブラックホールを同時に観測し、その情報に画像処理を施して視覚化するのに成功したのである。

その発表も東京、ワシントン、ブリュッセル、チリのサンディエゴ、台北、上海の六都市で同時に行われた。また、論文は『アストロフィジカル・ジャーナル・レターズ』誌に掲載されたが、発表は世界の一三研究機関に所属する二〇〇人超の科学者で構成される、国際共同研究グループによってなされている。

電波望遠鏡で結ばれた地球規模の観測体制が敷かれ、それを支え、計画を推進するには、綿密な国際的連携が不可欠であったわけである。

五五〇〇万光年というのは距離を表しているが、それは五五〇〇万年前の過去を見ていることにもなる。これだけ壮大、悠久な時空を相手に、その謎の解明に多くの国の科学者が協力して挑んでいれば、自ずと地球上の抗争や対立とは無縁の共同体意識が芽生えてくるような気がする。

大変なお金と手間をかけ、大人数の科学者を動員して、ウィークボソンやヒッグス粒子を発見したからといって、人間の生活に何か恩恵があるわけではない。ブラックホールの撮影にしても然りである。

ではあるが、そこには基礎科学ならではの純粋な知的好奇心に駆られたロマンが満ちあふれている。そうした素直な人間らしい精神活動を国境を越えて共有することは、紛争などが起きたとき、緩衝剤の役割を果たしてくれるように思う。

基礎科学の規模が巨大化してくるにつれ、実利とは無縁であるだけに、それほどまでの巨費——それはもう、多くの国が分担し合う国家予算のレベルに膨らんでいる——を投じる必要があるのかという疑問は常に投げかけられがちである。予算の配分の仕方は万人が納得する答えなどなく、難しい問題ではあるが、基礎科学の発展は間接的にせよ、ゆるやかながら、世界の平和に貢献している点に注目すれば、見方も少し違ってくるのではないだろうか。

ニュートンが遺した図と現代科学

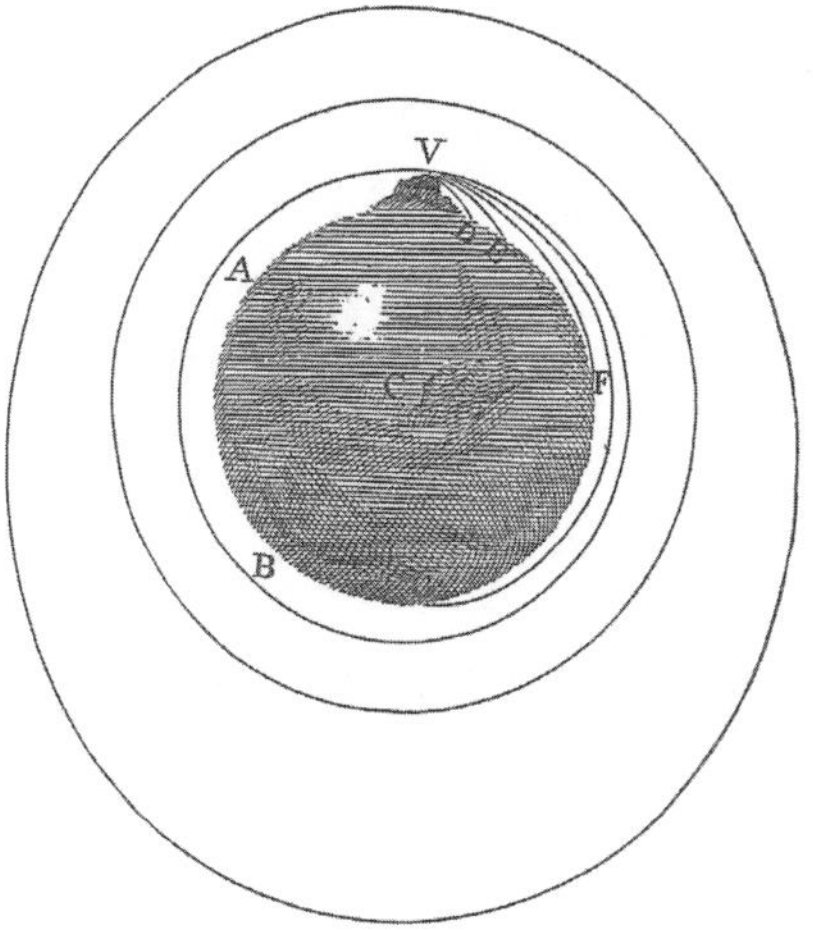

図5-3　ニュートンが描いた投射体の軌道

振り返ってみれば、近代科学が産声をあげたおよそ四〇〇年前から今日まで、本書を通してたどってきたように、科学という営みは決して立ち止まることなく、比類なきほどの進歩を遂げてきた。そして、進歩するにつれ、社会とのかかわりを深め、その深まり方はやがて、諸刃の剣の性格を帯びてきた。科学をどちらの刃として使うかは偏に、我々の人間性にかかっている。

ここで、図5－3をご覧いただき

たい。これはニュートンが『世界の体系』の中で描いた、地球（図の円）上での投射体の運動を説明するための図である。

投射体の発射速度を上げていくと、それにつれて飛距離は徐々に長くなり、やがて地球の反対側まで到達する。これを見ると、ミサイルの弾道が思い浮かぶが、いかがであろうか。短距離、中距離、そして大陸間弾道ミサイル（ＩＣＢＭ）へと射程が伸びていく様子と符合するではないか。

そして、さらに発射速度を上げると、投射体は円軌道に乗って、地球を周回することになる。これはまさしく、人工衛星や宇宙ステーションの動きに相当する。

もちろん、ニュートンの時代、ミサイルも人工衛星も宇宙ステーションも存在しなかったものの、力学的に見れば、それらの運動はすべて同じ原理に従っていることを、はからずも天才は見抜いていたわけである。たいしたものだという他はない。

ミサイルの発射実験が行われ、種々の用途に応じた多くの人工衛星が打ち上げられ、宇宙ステーションではさまざまな実験が試みられている今日、ニュートンが描いた図は、科学が人間の意図すること次第でいくらでも諸刃の剣となってしまうことを暗示している。

そして、科学が進めば進むほど、剣の諸刃の威力はどちらも強くなるわけである。

将来にわたり、巨大化をつづけるであろう科学は同時に、国際協力の体制も強化されていくものと予想される。その流れが、同じ目的と責任をもった者どうしの連帯感を深め、科学が平和の実現と人類の幸福、そして知的好奇心の発露の場となることを願って、本書の締め括りとしたい。

あとがき

本書の校正を終えて間もない昨年一一月二日、四五年を共に生きた妻・名保美を突然、失った。奇しくも、この日は結婚記念日であった。いま、この「あとがき」を綴っている私は失意の底にある。もし妻の急逝という不幸に見舞われるのがもう少し早ければ、本書は絶筆に終わっていたかもしれない。

書棚に並ぶ自著の背表紙を眺めていると、研究生活の思い出と重なって、その時々の妻の顔が浮かんでくる。長きに渡って、好きな学問に没頭できたのも、妻が常に傍にいてくれたおかげであったことを、いまさらながら、しみじみと感じている。

擱筆に至るまで、私との別れを待っていてくれた妻へ、滂沱の涙を拭いながら、本書を捧げたい。

二〇二〇年一月　小山慶太

世界史・科学史比較年表

西暦	科学史の出来事
1642	ニュートン誕生
1662	イギリスで王立協会（ロイヤル・ソサエティ）が創設される
1665	オルテンバーグが『哲学会報』を創刊
1666	フランスで王立科学アカデミーが創設される
1675	ロンドン郊外に王立グリニッジ天文台が設立
	ライプニッツが微積分法の基礎を確立
1687	ニュートンの『プリンキピア』が刊行される

西暦	世界史の出来事
1642	イギリスでピューリタン革命が勃発
1648	ウエストファリア条約が締結
1649	チャールズ一世が処刑され、イギリス王政が崩壊。共和制に移行
1660	イギリスで革命政権が瓦解し、王政復古がなされる。
	チャールズ2世が即位
1665	第二次英蘭戦争が勃発／イギリスでペストが大流行

1690 ウィリアム・ペティ『政治算術』刊行

1703 ニュートン、王立協会の会長に(～1727年)

1705 ハレー、『彗星の天文学の概要』を発表

1728 ニュートンの学説を研究したフランスの数学者モーペルテュイが『天体形状論』を著す

1743 数学者クレローが『地球形状論』を著す

1743 ダランベールが『動力学論』を著す

1765 ワットが蒸気機関の仕組みを改良する「分離方式」という手法を考案(1769年に特許を取得。1776年に実用化)

1688 イギリスで名誉革命が起きる

1701 プロイセン王国が成立

1707 大ブリテン王国成立

1775 アメリカ独立戦争が勃発。翌年「独立宣言」が発せられる

1783 パリ条約が発効。アメリカの独立が承認される

1784	ラプラスが「太陽系の安定性の証明」に成功
1788	ラグランジュ、パリで『解析力学』を出版
1789	化学革命の先導となるラヴォアジエの『化学原論』が刊行
1794	フランス・パリで公共事業中央学校が創設（翌年「エコール・ポリテクニク」と改称）
1798	メートル法が制定
1799	ラプラス『天体力学』第一巻と第二巻を出版（全五巻。一八二五年に完結）
1824	カルノー、『火の動力についての考察』を発表

1789	バスティーユ牢獄襲撃を機にフランス革命が勃発
1793	ルイ十六世が処刑される。ヨーロッパ諸国で第一回対仏大同盟が組まれる
1804	ナポレオン、フランス皇帝として即位
1806	神聖ローマ帝国消滅
1814	パリ陥落、ナポレオン退位
1815	ウィーン会議が終結、ドイツ連邦が成立する
1830	フランスで七月革命が起きる

１８５８	ドイツのプリュッカーが「陰極線」を発見
１８７５	国際メートル条約がパリで締結される
１８８７	ベルリンに物理工学国立研究所が設立される
１８９５	ドイツのレントゲンがX線を発見
１８９６	フランスのベクレルが放射能を発見
１８９８	マリー・キュリーとピエール・キュリーがラジウムとポロニウムを発見
１９０５	アインシュタインが光量子仮説を発表
１９０８	ドイツ人のハーバーが「空中窒素固定法」を発明

１８５３	クリミア戦争が勃発（～１８５６年）
１８６９	スエズ運河が開通
１８７１	普仏戦争でプロイセンがフランスに勝利。ドイツ帝国成立（～１９１８年）
１８７７	英領インド帝国が成立
１８８２	ドイツ・オーストリア・イタリア、三国同盟締結
１８９９	アメリカ、中国に対する「門戸開放宣言」を発表
１９０７	イギリス・フランス・ロシアで三国協商が成立

1911	ラザフォードが原子の有核模型を提唱
1913	ボーアが「原子構造論」を発表
1916	シュヴァルツシルトが「ブラックホール」の存在を理論的に予言
1918	「量子仮説」を確立したプランクがノーベル物理学賞を受賞
	「空中窒素固定法」の発明でハーバーがノーベル化学賞を受賞
1919	ラザフォードが核の構成要素のひとつである「陽子」を発見
1929	ハッブルが宇宙の膨張を裏付けるデータを発表
1932	チャドウィックが核の構成要素のひとつである「中性子」を発見
	アインシュタイン、プロイセン科学アカデミーを脱退、アメリカに亡命

1914	サラエヴォ事件が契機となり、第一次世界大戦が勃発
1918	第一次世界大戦が終結。ドイツ帝国崩壊
1919	ヴェルサイユ条約が締結
1920	国際連盟が成立
1929	ニューヨーク市場の株価暴落が世界経済恐慌に波及
1933	ドイツでナチス政権が誕生、国際連盟脱退

1938	ドイツのハーンとシュトラースマンが核分裂を発見 フェルミがノーベル物理学賞を受賞
1942	アメリカで、世界で初めて原子炉が稼働
1945	ニューメキシコ州で原子爆弾の最初の実験が行われる。同年8月、広島と長崎に原子爆弾が投下される
1946	軍事目的で研究が進められていた世界初のコンピュータ「ENIAC」が完成
1947	パウエルが「中間子」を発見。3年後にノーベル物理学賞を受賞
1954	欧州合同原子核研究機関（CERN）が設立
1955	「ラッセル＝アインシュタイン宣言」が発表される
1957	東西両陣営の壁を超えた科学者たちによる第1回パグウォッシュ会議が開かれる

1939	第二次世界大戦が勃発
1941	太平洋戦争が勃発。ドイツ、ソ連に侵攻
1945	第二次世界大戦が終結。サンフランシスコ会議で国際連合憲章が採択され、国際連合が成立
1949	ソ連が原子爆弾の実験に成功
1952	アメリカが水素爆弾の実験を行う

1988	国際宇宙ステーションの建設計画がスタート
1995	パグウォッシュ会議の創設に貢献したロートプラットがノーベル平和賞を受賞
2013	「ヒッグス粒子」発見の論文が発表される
2019	日本の国立天文台などの国際研究チームがブラックホールの直接観測に成功

1961	ソ連が世界で初めて有人宇宙飛行に成功
1962	キューバ危機が起き、米ソの核戦争への緊張が高まる
1969	「アポロ11号」が月面着陸
1991	湾岸戦争、クウェート解放。ソ連が消滅し、ロシア連邦が成立
1993	EU（ヨーロッパ連合）成立
2001	アメリカで同時多発テロ。アメリカによるアフガニスタン攻撃が開始

校　閲　鶴田万里子
DTP　天龍社

小山慶太　こやま・けいた
1948年生まれ。
早稲田大学名誉教授。理学博士。
著書に『寺田寅彦』『入門 現代物理学』『科学史人物事典』
『科学史年表』『〈どんでん返し〉の科学史』(中公新書)、
『ノーベル賞でたどるアインシュタインの贈物』(NHKブックス)、
『ノーベル賞で語る20世紀物理学』『光と電磁気――ファラデーと
マクスウェルが考えたこと』(講談社ブルーバックス)
『エネルギーの科学史』(河出ブックス)など多数。

NHK出版新書 611
高校世界史でわかる
科学史の核心
2020年1月10日　第1刷発行

著者　小山慶太
発行者　森永公紀
発行所　NHK出版
〒150-8081 東京都渋谷区宇田川町41-1
電話 (0570) 002-247 (編集) (0570) 000-321(注文)
http://www.nhk-book.co.jp (ホームページ)
振替 00110-1-49701

ブックデザイン　albireo
印刷　壮光舎印刷・近代美術
製本　二葉製本

Printed in Japan ISBN978-4-14-088611-3 C0240

NHK出版新書好評既刊

「AI資本主義」は人類を救えるか
文明史から読みとく
中谷 巌
人類誕生から資本主義勃興にいたる広大な歴史をふまえ、AI登場によって劇的な転換を遂げる人類と世界の未来を展望する。
571

大乗仏教
ブッダの教えはどこへ向かうのか
佐々木 閑
「自己鍛錬」を目的にした釈迦の教えは、いつ、どこで、なぜ、「衆生救済」を目的とする大乗仏教に変わったか？「対話」から大乗仏教の本質に迫る。
572

フロムに学ぶ「愛する」ための心理学
鈴木 晶
愛は、誰もが生まれながらに持っているものではなく、学ぶべきものだ。ベストセラー『愛するということ』の翻訳者が、フロム心理学の奥義を極める。
573

キャッシュレス覇権戦争
岩田昭男
日本で吹き荒れるキャッシュレスの大嵐。300兆円消費市場を誰が制するか？「信用格差社会」をいかに生き抜けばよいか？現金消滅時代の正体！
574

世界史を「移民」で読み解く
玉木俊明
文明の興亡、産業革命と列強の覇権争い、ヨーロッパ難民危機……。「人の流れ」はいかに歴史を変えたのか!? 経済史研究の俊英が明快に説く！
575

英文法の新常識
学校では教えてくれない！
鈴木希明
「学校英文法」の世界は、時代と共に大きく変化している！多くの人が高校時代に習った古い情報と比べながら読み解く、目からウロコの現代英文法。
576

NHK出版新書好評既刊

富士山はどうしてそこにあるのか
地形から見る日本列島史
山崎晴雄
関東平野はなぜ広い? リアス海岸はどうしてできる? 富士山が「不二の山」の理由とは。足下に広がる大地の歴史を地形から読む。
584

55歳からの時間管理術
「折り返し後」の生き方のコツ
齋藤 孝
いよいよ「人生後半戦」に突入した50代半ば。気がつくと〝暇〟な時間が増えてきた。ついに手に入れた自由な時間を、いかに活用すればよいか?
585

「松本清張」で読む昭和史
原 武史
昭和とは何だったのか? 比較的近い、しかし謎に満ちた時代を、松本清張作品に描かれた「鉄道」と「天皇」から解き明かす。
586

人体 神秘の巨大ネットワーク
臓器たちは語り合う
丸山優二
NHKスペシャル「人体」取材班
生命科学の最先端への取材成果を基に、従来の人体観を覆す科学ノンフィクション。大反響を呼んだNHKスペシャル「人体」8番組を1冊で読む!
587

コケはなぜに美しい
大石善隆
岩や樹木になぜ生える? 「苔のむすまで」はどれくらい? 静寂と風情をつくるコケの健気な生き方を、200点以上のカラー写真とともに味わう。
588

米中ハイテク覇権のゆくえ
NHKスペシャル取材班
情報・金融・AIなどのハイテク分野で、アメリカの覇権を揺るがし始めている中国。日本の命運を左右する、二つの超大国の競争の真実に迫る。
589

NHK出版新書好評既刊

暴走するネット広告
1兆8000億円市場の落とし穴
NHK取材班
あなたが見ているそのサイトで誰かが〝不正に〟儲けている――。急成長を遂げるネット広告の問題点を「クローズアップ現代＋」取材班が徹底追跡。
590

がんから始まる生き方
養老孟司
柏木 博
中川恵一
がん患者・治療者・助言者の3氏が、がんになって得た視点や死生観を縦横無尽に語りつくす！ 類書のない、大人のための「がん体験指南書」！
591

ふしぎな鉄道路線
「戦争」と「地形」で解きほぐす
竹内正浩
東京〜京都の鉄道は東海道経由じゃなかった？ 山陽本線の難所「瀬野八」誕生の理由は？ 九州の幻の巨大駅とは？ 史料と地図で徹底的に深掘り！
592

明るい不登校
創造性は「学校」外でひらく
奥地圭子
不登校に悩む親子の駆け込み寺・東京シューレの創始者が、変化する現状を的確に描き、不登校経験者の豊かな将来像を経験に基づき説得的に示す。
593

救急車が来なくなる日
医療崩壊と再生への道
笹井恵里子
119番ではもう助からない!? 都心の大病院から離島唯一の病院までを駆け巡ったジャーナリストが、救急医療のリアルと一筋の希望をレポートする。
594

幸福な監視国家・中国
梶谷 懐
高口康太
習近平政権のテクノロジーによる統治が始まった。なぜ大都市に次々と「お行儀のいい社会」が誕生しているのか!? その深層に徹底的に迫る一冊！
595

NHK出版新書好評既刊

プラトン哲学への旅
エロースとは何者か

納富信留

えっ!? 紀元前のアテナイでソクラテスと「愛」について対話する? プラトン研究の第一人者が『饗宴』を再現して挑む、驚きのギリシア哲学入門書。

602

AI以後
変貌するテクノロジーの危機と希望

丸山俊一＋NHK取材班［編著］

脅威論も万能論も越えた「AI時代」のリアルとは? ダニエル・デネットなど4人の世界的知性が、人類とAIをめぐる最先端のビジョンを語る。

603

残酷な進化論
なぜ私たちは「不完全」なのか

更科 功

心臓病・腰痛・難産になるよう、ヒトは進化した! 『絶滅の人類史』の著者が最新研究から人体進化の不都合な真実に迫る、知的エンターテインメント!

604

親の脳を癒やせば子どもの脳は変わる

友田明美

親の脳も傷ついていた。脳研究に携わる小児精神科医が、脳とこころを傷つけずに子どもと向き合う方法を最新の科学的知見に基づいて解説する。

605

森保ジャパン 世界で勝つための条件
日本代表監督論

後藤健生

新生サッカー日本代表「森保ジャパン」が世界の壁を突破するためには、何が必要なのか? 代表監督の系譜から考える。歴代監督12人の独自採点付き。

606

証言 治安維持法
「検挙者10万人の記録」が明かす真実

NHK「ETV特集」取材班［著］
荻野富士夫［監修］

1925年から20年間にわたって運用された治安維持法。当事者の生々しい肉声と検挙者数のデータから、その実態に迫った「ETV特集」の書籍化。

607

NHK出版新書好評既刊

明智光秀
牢人医師はなぜ謀反人となったか

早島大祐

文武兼ね備えたエリート武将は、いかに本能寺の変へと追い詰められたか。気鋭の中世史家が最新の研究成果を踏まえ、諸説を排し実証的に迫る渾身作！

608

マグロの最高峰

中原一歩

豊洲で一日に並ぶ二百本の上位「二、三本」は何が違うのか？ 漁師・仲買人・鮨職人に長年密着取材してきた作家による、究極の「マグロ入門」誕生！

609

「超」現役論
年金崩壊後を生き抜く

野口悠紀雄

決してバラ色ではない「人生100年時代」。国にも会社にも、もう頼れない！ 老後の暮らしを守る唯一の方法を、日本経済論の第一人者が提言する。

610

科学史の核心
高校世界史でわかる

小山慶太

ニュートンはなぜ後世に名を残せた？ 普仏戦争と量子力学の意外な関係とは。近現代史を大きく動かした科学の営みをたどる、科学史「超」入門！

611

実践 幸福学
科学はいかに「幸せ」を証明するか

友原章典

日本の男女格差はG7最下位、なのに幸福度の男女差は女性が上！ その理由とは？ 行動経済学の俊英が、科学に基づく「幸せ」のあり方を提唱する。

612